JN050264

生き残る作家、生き残れない作家

冲方塾・創作講座

冲方 丁
TOW UBUKATA

早川書房

生き残る作家、生き残れない作家

冲方塾・創作講座

装幀／岩郷重力＋Y.S

目次

はじめに

どれほど努力をしても作家になれない人がいます。

その一方で、優れた作家であったにもかかわらず、ふいに書かなくなる、あるいは書けなくなってしまう人がいます。

なぜそうなってしまうのでしょうか？

書けない人、書けたのに書かなくなる人の存在は、私にとって、いずれも長いこと無視できない疑問の種でした。

いつ自分もそうなるかわからないのでは、おちおち作家などやっていられないからです。

しかも新人の頃は、ことあるごとに、「お前のようなやつが作家として生き残れるとは思えない」といったことを、先輩の作家や、年配の編集者から言われたもので、それでかえって、作家として生き残るとはどういうことかと考えさせられたものです。

そうして、かれこれ二十五年ほど作家として考え詰めて得た答えの一つは、作家になるために必要な「何か」こそ、作家でい続けるために必要な「何か」でもあるということ。その「何か」が失われれば、どんな作家も、「どれほど努力しても作家になれない人」になってしまうのです。

そして、今ではそれが、文筆家という意味での作家に限らず、何かを創造し続ける人々に必須の「何か」である、ということもわかっています。

逆に、その「何か」を大切にし、精進に努めれば、来たるべき「書けなくなる日」を回避し、死ぬまで執筆三昧をまっとうできる。

そしてその「何か」を示すことが、これから作家になろうとする人々に「生き残るすべ」を与えることになる、というのが私の考えです。

私は今年で、デビュー以来、作家として二十五年を迎えます。

作家として生き残るなか、作家業を継続できなくなった人々を数多く見てきました。

私が関わった新人賞や新人発掘企画だけでも、数百人がデビューしましたし、日本国内の新人作家の数は、軽くその数倍にのぼります。

しかしその後、志(こころざ)した作家業だけで生活できる者は、ほんの僅(わず)かに過ぎません。

今後ITがますます生活の基礎となり、電子メディアの発達によって作家デビューのチャンスは広がり続けるでしょう。そしてその分、ひとたび得たチャンスを活かせず、行き詰まる人々も増えるということが大いに予想されます。

そうした人々は、そして私自身は、どうしたらチャンスを活かし、作家であり続けることができるのでしょうか？

この問いに答えることが、本書の趣旨となります。

書き続けることができる者と、できない者の違いに着目し、できる者は何を備えているのか、できない者は何を持たず、あるいは失ったのか、一つずつ思案してゆきたいと思います。

序章　ＷＨＹを知る者は生き残る

作家として生き残るとは、どういうことをいうのでしょう？

これは、超ベストセラー作家になれるかどうか、ということとは関係ありません。

作家業のみで生活を維持し続けることができるかどうかです。執筆の合間に、ウーバーイーツのボックスを背負うこともなければ、本業を別に持って執筆を副業にすることもないということ。作家として、普通に暮らせるということです。

先に申し上げておくと、私自身、そう大して売れている作家ではありません。

それでも、三十代で得た収入の合計を税理士がくれた書類で確認したところ、だいたい六億円とちょっとくらいでした。中堅どころの作家としては、まあまあといったところです。ただ残念ながら、私が目標とするスティーヴン・キングなどには足元にも及びません。

もちろん、全ての作品が何百万部も売れて、あるとき六億円が入ってきたわけではありません。一万円を六万回稼げば六億です。十万円を六千回。百万円を六百回。一千万円を六十回。どの稼ぎ方も結果は同じです。常に一定以上のペースに耐えて作品を発表し続ければ、数年では無理だとしても、十年や十五年かければ、成果はかなり蓄積されます。

ちなみに四十代になった今、三十代で稼いだお金は、まったく残っていません。

これは、収入から経費が引かれたり、税金を納めたり、知らないうちにお金がない親族の借金の返済にあてられたり、元伴侶が詐欺に引っかかったり、家を建てた直後に東日本大震災に見舞われたりしたからだそうです。ここで伝聞になるのは、お金の管理を自分以外の人間に任せていたからで、そうするとどんどんなくなるということがわかりました。

財テクという面では絶望的な有様ですが、にもかかわらず他人事（ひとごと）のように思えるのは、お金よりも大切な「書ける」という最大の財産を持っているからにほかなりません。

過去十年の稼ぎが消えたなら、次の十年でまた稼げばいい。

そもそも、お金が誰かの手に渡った分、経済的に困窮する人が周囲にいなくなったのだから、むしろ今後はお金を貯めやすくなることでしょう。

と、このように楽観できるのも、「書ける」という実感と、それを支える「何か」が、私の中に確固としてあるからです。

では、「書ける」という最大の財産を支えてくれているものとは何でしょうか？

まずきわめて単純に、「なんのために書くかを知っている」ということが挙げられます。

①　ＷＨＹを知る者は生き残る。

このことを説明するには長らく困難を伴いましたが、あるとき「ゴールデンサークル」というビジネス上の「ものの考え方」が流行したおかげで大いに説明がたやすくなりました。

その簡潔にして肝心要の図が、こちらです。

Why
How
What

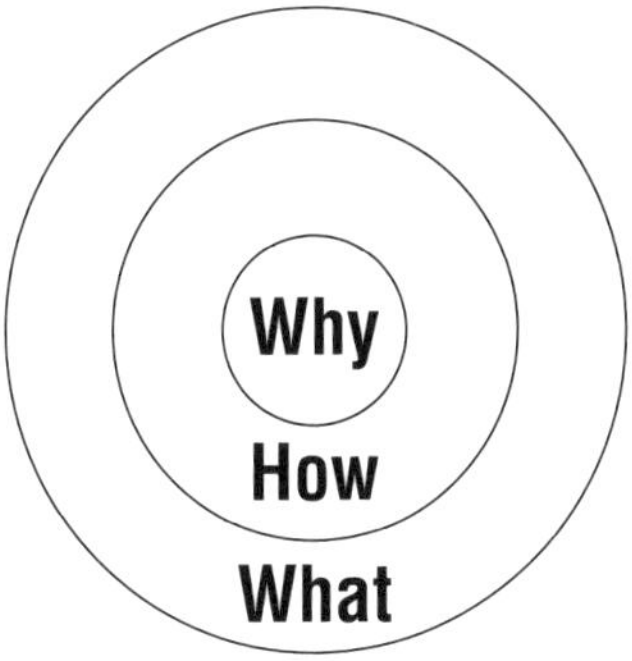

これは、イギリス生まれのマーケティング・コンサルタントであるサイモン・シネックという人が、二〇〇九年に、「優れたリーダーはどのようにして行動を促すか」というプレゼンテーションを行ったことで広まった考え方だそうです。

中心に「WHY」がある。ビジネスを行うとき、なぜそうするのか？　行動の根源的な理由は何か？　ということが方針の中核をなしているさまをあらわしています。

次に「HOW」が来る。ではどうやって「WHY」に応えるかが思案される。

そして結果的に「WHAT」が生まれる。商品や作品や行動が、最後に現れる。

それまでのマーケティングはこの逆でした。つまり、中心に「WHAT」があった。売らねばならない自動車や冷蔵庫といったモノが日々、大量生産されている。それをどうにかして売らねばならないので、セールストークの「HOW」が蓄積された。とにかく売れればいい。なぜそれを買わせねばならないかは、あとづけでいい。「WHY」は最後の添え物であって、できれば真剣に考えたくない。

この態度がひっくり返ったことで、たとえばITイノベーションのような「それまでにないもの」が現れ、かつそのリーダーは大勢の社員を従えることができた、というわけです。

作家活動において、このゴールデンサークルの中心に「WHAT」を据える人は、いずれ必ず書けなくなります。

なぜなら、あるモノのためにに書くのであれば、それが手に入った瞬間、書く理由がなくなるからです。なぜ書くのか・書かないのかと自分に問うのも億劫（おっくう）になります。

現実問題、ひとたび成功すると書けなくなる人はしばしばいます。

自分の作品が大ヒットしてほしい、映像化されてほしい、有名な賞をとりたい、といったモチベーションは、満たされると持続しません。得た時点で目的が消えます。

これは新人にもベテランにもいえることです。新人にも、新人賞をとったことで満足して書けなくなる人がいます。自分自身が書く目的を、あまりに「賞の獲得」に据えてしまったせいで、それがスタートラインに過ぎないという現実が失われてしまうのです。

「なんのために書くか」という目的設定の中心に「ＷＨＡＴ」を据える人は、そのつど新たな目的を強く意識し続けねばなりません。お金であれば、百万円を稼いだら次は一千万円、一千万円を稼いだら次は……と、再設定に労力を要します。

自分の中のリビドーをもとに、衝動を執筆の動機とするのも同じです。一つクリアしたら、さらに次の衝動を喚起しなければなりません。

若い恋人がほしい、高い酒が飲めるようになりたい、大勢から尊敬されたい、といった目的意識も同様です。無限に新たな何かが必要となります。若い恋人が一人できたら、二人目、三人目……と続けざるを得ず、どこかで行き詰まります。「ＷＨＡＴ」を目的に設定する難点は、こうしてどんどんハードルが高くなり、やがてはとても達成不可能な目的設定となってしまい、人々の気力を失わせることにあります。

また、「ＷＨＡＴ」を目的設定の中心にする人は、病気や怪我などで体が不自由になると、一発でモチベーションを失い、生きる気力すら奪われかねません。

逆に、「ＷＨＹ」を中心とする人は、再設定に労力を要しません。繰り返し同じ目的のもと、新たなチャレンジをはかることができます。

たとえば私の場合、「最初の一行を書くわくわくと、最後の一行を書く達成感を、死ぬまで味わい続けたいから書く」というのが「ＷＨＹ」の根本です。

また、「執筆を通して、自分、人間、社会、世界を知りたいから書く」という思いを、十代の頃から抱き続けてきました。

執筆は私にとって、表現であり経済活動であり学習であり生きがいです。題材はおのずと無数に生じるため、とても自分の一生では全て書き尽くせそうにありません。どうせ道半ばでこの世を去ることになるのですから、最期の日をなるべく先延ばしにしながら、最も効率よく全力疾走を続けるのみです。

これが、「ＷＨＹ」を中心とする作家の強みです。

なお、日本人に特徴的なことですが、目的設定の中心が「ＷＨＥＮ」である人もいます。日本人は年齢によって「すること」や「なること」をやたらと決めます。七五三、成人式、就職活動、結婚適齢期、働き盛り、隠居、といった数々の言葉は、ある年齢になったらこうする、という社会規範がかなり強固に存在している事実を示しています。

このため「きっとそのうち自分が作家になる時期がくるはず」、「売れる日がくるはず」、「自分が本気になる瞬間が突然やってくるはず」といった、「待ちぼうけ人材」が相当数います。

なかでも顕著なのは、「〆切がないと書けない作家」です。

電子メディアが発達すると、生産スケジュールを厳密にしなければ成り立たない紙媒体とは異なり、〆切も枚数規定もきわめて柔軟なものとなります。逆に言えば、スケジュールを自分で決めねばならなくなるのです。そうなったとたん、どう書いていいかわからなくなる作家もいるのです。

目的設定の中心が「ＷＨＥＮ」の場合、誰かにタイムスケジュールを管理してもらわねばならず、執筆の動機を自分の外に委ねているという点では「ＷＨＡＴ」と同じです。自分をコントロールしてくれる誰か・何かを持続可能なものにしておかないと、いつか必ず「書けなくなる日」がやってくることになります。

結局、「ＷＨＹ」を中心にする作家ほど生き残る。これが結論ですが、一応、５Ｗ１Ｈのうち、残りの「ＷＨＯ」「ＷＨＥＲＥ」「ＨＯＷ」を中心とした場合も、みていきましょう。

まず「WHO」を中心に据える人もいます。プロデューサーや編集者のタイプです。誰かを有名にしたり売れる存在にしたり、あるいはその人間の表現を愛するがゆえに、あれこれ考えることに熱意を傾けます。このタイプの作家もいます。自分はアイディアやストーリーを提供し、誰かに完成してもらう。脚本家や原作者向けの人材です。

こうしたタイプの問題は、「WHO」が変わったり、自分自身になったとたん書けなくなる可能性があるということ。人に完成してもらうのですから、相性が悪い相手とは仕事が成り立ちません。また、自分自身が手がける段になるとモチベーションが混乱して書けなくなる人もいます。自分自身で手がけるときには、目的設定の中心を別のものに変えねばなりません。

次に、「WHERE」を中心に据える人もいます。

ある特定の地域に憧れて移り住んだり、組織やレーベルに所属することを執筆の動機にする作家です。とにかく今いる場所にいたいから書く。これも「WHAT」と同様、地域への憧れの念が消える、経済的な限界をきたして住み続けられなくなる、レーベルがなくなる、人間関係でトラブルを抱えるといったことが原因で書けなくなります。結局は、自分以外の何かに、自分をコントロールしてもらわないと書けないということです。

最後に、「HOW」を中心に据える人もいます。小説のノウハウについて考えることが大好きな作家で、分析、評論、ジャンル区分に情熱を傾けます。研究家タイプであり、思考には限度がないため、実は「ＷＨＹ」についで、長く生き残れるタイプの作家といえます。

ＳＦやミステリーなどのジャンル作家に、このタイプが多いという印象です。映画監督にも、このタイプがいます。私も、二十代の頃は「ＨＯＷ」がかなり強い動機となっていました。ただ、このタイプの作家は、実験作や膨大な評論に傾倒する場合があり、まったく収入にならないことを延々と続けてしまうという経済的なリスクを伴います。

私もどちらかというと、この傾向があるため、ほどほどにするよう自分に言い聞かせねばならないときがあります。研究対象に没入してしまうと、どうしてもパトロンがなければ生活できない状態になりがちなのです。

様々な実例から経験的に言えることは、やはり目的設定、すなわちゴールデンサークルの中心に「ＷＨＹ」を据える者は、何があっても書き続け、経済的なリスクも少なく、そして生き残るということです。

余談その一　作家業における大ヒット破産

ある年に百万部売れる。毎年十万部ずつ十年間売れ続ける。どちらも発行部数は同じです。では、どちらが生活面で有利でしょうか？

得た収入をその後どうするかにもよりますが、生活面では後者が有利といえます。

まず、継続力があるので、次の十年も同じように売れる可能性が高い。継続と蓄積は、何より経済的なリスクを低減してくれます。

また、あるとき突然大ヒットすると、税金の額ががらりと変わります。

この国では、一定以上の収入に対し、自動的に所得のだいたい四十％を税金とすることに加え、「予定納税」という制度が存在します。

これは「高額納税者は納税が大変だろうから、お金を使ってしまう前に二年分まとめて払わせる」という、税理士から何度も説明されたものの、いまだに摩訶不思議な気分になる理屈によるものです。

二年分ということは、ごく単純に考えて、前年の所得の八十％を一気に納税することになります。

このため節税が不可避となり、大慌てで豪邸を建てたり、人を雇ったり、不必要な高額商品をせっせと購入する必要に駆られます。政府が好む経済的活況のための薪(たきぎ)となって火にくべられるわけです。

当然、家を建てればその後は固定資産税がつきまといますし、雇用者の数だけお金は出ていき、高額商品の値は購入時より下がります。こうして、お金を失うためにお金を使うというサイクルに突入すると、抜け出すのは容易ではありません。

結果、大ヒットしたがために借金を背負ったり、心身がおかしくなる人もいます。大して欲しくもないものを買うことがやめられない買い物中毒になるなど、傍目(はため)には自由な生活を謳歌しているようにみえて、本人は少しずつ何かに蝕(むしば)まれてゆくのです。

せっかくの納税者を殺してしまわないよう、「平均課税制度」という救済策も用意されています。ある年だけ急激に収入が上がった場合、過去三年間の収入の平均よりも一定以上なら、たまたまバカ売れしただけとみなし、税率を下げるという制度です。

この国では、作家や漁師など一部の自由業種にしか適用できない救済策で、これを知るのと知らないのとでは、手元に残るお金の額がまったく違います。

なんであれ、作家として、まったく売れないことも、あるとき大ヒットしてしまうことも、乗り越えねばならない生活面での危機を迎えるという点では同じことであり、書き続けるためのモチベーションを失う大きな要因となりがちなのです。

ちなみに節税のほとんどは経費を増やすために現金を使うということであり、やればいいというものではありません。現金を使いすぎて節税貧乏になる人もいます。無理にお金を使わず、素直に税金を納めたほうが、長い目で見れば少しずつお金は貯まります。それがわからない人にお金を預けると、あっという間に消えてなくなりますのでご注意を。

第一章　言葉の三つの特質を知る者は生き残る

文筆を生業とする者が用いるのは、もちろん言葉です。

言葉は、発明されて以来、どうしていまだに用いられているのでしょう？　それが人間にとってなくてはならないものである理由は、人間の行動に影響を与えるからです。とりわけ言葉には集団を動かす力があります。そのためあらゆる時代、あらゆる地域で、言葉を最も活用できた者が生き残ってきたといえます。

現代において、最近まで言葉の力を最も活用していたのは広告業でした。僅かなフレーズによって人を動かし、莫大な利益を得る。それがやがてインターネットの発達により、あらゆる人間がかつてなく言葉の力の恩恵に与るようになりました。たとえばＡＩによるターゲティングやYouTuberの登場などは、言葉の力がこれまでの広告手法から別の仕組みへ移行しつつあることを物語っています。

このように言葉の力は、そのとき最も活用しうる存在にバトンタッチされてきました。シャーマン、王、司祭、神話作家、思想家、革命家などなど。

このなかで現代の作家という職業は、歴史上きわめて新しく、政治的・宗教的・経済的・軍事的・学術的……といった、あらゆる抑圧から解放された状態で言葉を用いることを前提とした、過去数千年で唯一といっていい職能的な専門家なのです。

とはいえ、その作家が用いようと、他の誰がそうしようと、言葉の力は変わりません。言葉の特徴的な力を理解することが、当然ながら作家として生き残る上できわめて重要となります。

では、言葉にはどのような特質があるのでしょうか？

人間と社会に最も影響を与えるのは、「発見を伝える力」、「継承する力」、「法則を抽出する力」の三つです。

これらを、一つずつみてゆきましょう。

② 言葉が生まれた原初の理由——「発見を伝える力」を知る者は生き残る。

人は、ものごとを見たいように見ます。つまり、ほとんど見ていないということです。

なぜなら自分の代わりに誰かが見てくれているのが社会だからです。

道を歩いているとき、舗装の状態が最適かどうか確認するのは、道路作りに関係がある人だけです。それ以外の人は、舗装された道路を歩くとき、誰かがそれを舗装したという事実すら忘れています。たとえ道路がとてもひどい状態でも、自分がそれを修復しなければならないとは考えません。そう考えるのは、孤立して立ち往生したときだけです。

つまり社会的な連携が断たれない限り、人はたいがいのことは忘れて生きることができます。かくいう私も、仕事に夢中になると周囲にまったく目を向けなくなります。本当かどうかわかりませんが、モンテスキューは『法の精神』を執筆中、自宅が火事になっても「家のことは奥さんに任せてある」といって部屋から出てこなかったそうです。

このように、いわゆる「選択的注目（セレクティブ・アテンション）」の働きによって、人は自分と関係があると信じているもの以外、認識しなくなるのです。

それが社会の存在意義の一つですが、その選択的注目を瞬時に変えてしまうのが、言葉の力です。

特に、言葉の「発見を伝える力」を発揮するとき、人はその発見がなんであるかを知ろうとして即座に注目します。たとえそれが大したことのない、生活上はまったく役に立たないものであったとしても、発見された何かがあると知るだけで、ただちに行動を変え、物の見方すら異なる状態になります。

たとえば、都市の河川に海洋生物が紛れ込んだといった発見です。どこかの川にゴマフアザラシがいるというだけのニュースに大勢が注目することになります。

その影響が連鎖し、より大規模になれば、たとえばSNSで何かがバズる、といったことが起こります。

これは古来、言葉のほとんどが、発見を伝える「合図」として活用されてきたことによる習性です。危険なもの、貴重な獲物、収穫の開始、天候の変化、敵の到来、集会の開催など、集団にとって価値ある情報を可能な限り早く伝える「合図」に、人は反射的に注目するよう教育されてきました。現代でも、学校や家庭での教育を通して、「合図」への反射的注目を叩き込まれます。「起立」といわれれば何をしていても中断して立ち上がる者が、生徒として適切とみなされます。

重要なのは、発見されたものがなんであるかは、大して問題にならないということ。適切な「合図」とともに、適切な言葉で伝えることができる、適切な相手に、まず人は注目するのであって、発見されたものについてはあと回しになります。

政治家の演説、ニュースキャスターのリポート、芸能人のトーク、インスタグラマーの投稿、コマーシャルに登場するスポーツ選手の一言など。いずれも、現代における情報の伝達の重要度はきわめて低くなりました。この日本で、朝のニュースを見ないと今日どこかで命を落とすかもしれないという危機感を抱いている人などいません。

逆に言えば、適切な「合図」もなく、適切な言葉で伝えられず、適切とも思えない姿や仕草をする相手には、注目しないということでもあります。注目したらいけないような、あるいは不快な気分にさせられるからです。たとえ深刻で甚大な影響を及ぼす情報がもたらされるとしても、ひとたび不適切と思えば、注目に値しないと判断してしまうのです。

それが人であり、言葉のマイナスの力であるともいえます。「発見を伝える力」を逆用することで、特定のものごとの価値を低めたり貶（おとし）めたりすることもできます。ネガティブ・キャンペーンや、人格攻撃といった言葉の使い方です。

さて、このような「発見を伝える力」を、作家はどのように活用すべきでしょうか？

当然ながら、人類史に残る重大な発見をして世に伝えようとする必要はありません。

具体的に何をするかみていきましょう。

まず、「発見を発見する」ことから始めねばなりません。あることがらが、発見と呼ぶに値するかどうかを決めねば、伝えるべきかどうかもわからないからです。

たとえば、地方経済の活況をはかるため特産物を売り出すことになったとき、最初に「何が特産物か」を決めねばならないのと一緒です。自分の周囲にはあって当然でも、他の地域にはあまり存在しないものを一つずつ確認することから始まります。

この特産物の選択と同じように、作家も自分が伝えるにふさわしい何かを見つけねばなりません。自分にとっては当たり前のことでも、大勢の人にとってはそうではない何かがあるかもしれません。逆に、自分には異様で不安を催されるものごとなのに、自分以外の大勢にとってはそうではない何か、といったことも考えられます。

輸出入の原則と同じです。何かが売れるのは、相手が持っていないからです。

これを、自分の内側や周辺から見つけ出すのが上手な人ほど、作家として生き残ります。逆に、「みんなと同じ」になりたがるあまり、自分にしかないものを提示するのが下手な人は、作家には向いていません。

さて、「発見」を見つけてのちは、それを適切に伝えねばなりません。

適切とは、ある人間が最も理解しやすい仕方で説明してあげるということです。注意したいのは、「伝わりやすい文章」と「わかりやすい文章」は根本的に異なるという点です。たとえば、子どもにでもわかる、素人でもわかる、五分でわかる、といった説明の仕方があります。教育者やニュースキャスターに求められる技能で、もちろん作家にも必要です。

これとは逆に、とことんわかりにくい説明が価値を持つ場合もあります。

専門用語を多用し、ちょっとやそっとでは理解できそうにない語り口も、それが適切な相手であれば好まれます。符牒（ふちょう）じみた文章を心地好いと思ったり、衒学的（げんがくてき）なものの言い方のほうが記憶に残るという読者もいます。

つまり、わかりやすかろうが、わかりにくかろうが、伝えるべき読者のイメージがはっきりしている人ほど、適切な、伝わりやすい文章を書くことができます。

さらには、「適切な人物が発見を伝えていること」を示さねばなりません。

これも誰に伝えるかによります。真面目に冷静に正気を保ち、特定の人物や団体を攻撃しないほうが伝わる場合もあれば、過激な攻撃に努めるほど読者が興奮するといった場合もあるでしょう。どのような人々を相手にしたいか、どのような場に身を置きたいかが、「発見を伝えるべき自分」を規定します。

いずれも、伝えるべき読者のイメージがつかめている人ほど、自分自身を「適切な人物」として印象づけることに長(た)けます。

しばしば新人作家に、「身近な誰かに伝える気持ちで書いて」といったアドバイスがなされるのも、このためです。自分以外の他人をはっきり想定して伝えること。それが、当然ながら「発見を伝える力」を発揮するこつとなります。

以上、「発見を発見する」「発見を伝える」「伝えることの適切さを示す」ことが、「発見を伝える力」を発揮する条件となります。これらを適切に行う作家ほど、生き残ります。

③ 言葉が発展した最大の理由——「継承」する者は生き残る。

言葉というものが世界中で重宝されているもう一つの理由は、「継承」を可能とする唯一のすべだからです。

何かが後世に遺された際、それがなんであるかという説明が欠けているか、解読不能になってしまったため、歴史上の謎とされるものは数多くあります。ナスカの地上絵など、そもそもなんのためにそんなものを作ったのかすら判然としません。実は現代人が冗談で作ったという説すらあります。

他方、説明可能なものごとを、人間は一つ残らず継承することができます。技芸など特殊な訓練が必要なものであっても、それがどういうものであるか、なんのために開発されたかを知ることができます。

何千年という単位で受け継がれたものも、つい最近どこかの誰かが思いついたものも、同様に言葉を用いて自分のものとすることができます。

とりわけ物語の継承に熱心な作家ほど、書くべき題材は豊富となります。

作家として生き残りたいなら、講談や噺(はなし)は、ひととおり聞いておいたほうがいい、と教える人もいます。聖書、儒学、仏教、禅などに創作の源泉を求める人もいれば、ギリシャ神話や、アーサー王の伝説、シェイクスピアの戯曲、『巌窟王』や『三銃士』、『源氏物語』や『平家物語』といった過去の名作を、作家としての自分の原点に据える人もいます。もっと新しい、ＳＦやミステリーやホラーといったジャンル小説のメソッドを金言としている人もいれば、神話学、童話の類型、心理学などを柱にする人もいます。

なぜこうしたことが必要なのでしょうか？

まずこれは「発見を伝える力」の一種でもあります。

過去に見出された、人と社会を融和させる物語や、世界に異議を唱える物語といったものを、常に新しい時代へと運び続け、そして翻訳し続けているのです。

ディズニー映画が、もととなった物語から大きく改変されたシナリオを採用するのも、より現代にふさわしいものにするためです。

過去の物語を、作られたときの意図通り理解することは、現代の私たちにはできません。過去と今の間には、常識の違いという大きな壁がそびえ立っているからです。必然的に、過去の物語は新たな常識に照らされ、現在の物語へと生まれ変わることになります。

また歴史的なできごとを物語として継承するには、大きな課題と取り組まねばなりません。歴史上の人物が、「なぜ」そうしたのかを解き明かすということです。

つまり、ここでもまた「ＷＨＹ」が重要となります。

歴史的なできごとの記述は、「ＷＨＯ」「ＷＨＥＮ」「ＷＨＥＲＥ」「ＷＨＡＴ」「ＨＯＷ」の列挙が大半で、たいてい「ＷＨＹ」がすっぽり欠けています。これは、歴史的なできごとを推進した本人が克明に動機を記してくれない限り、他人には推測しかできないからです。

そのため、何が起こったかについては詳細な記述があるけれども、なぜそうしたのかは永遠の謎という歴史的な事件は、数多くあります。

そして当然ながら、この「ＷＨＹ」を解き明かそうとしても、現代人の視点でそうするしかありません。つまり歴史的なできごとの「ＷＨＹ」は、常にその時代に合わせて解釈され直さざるを得ないということです。

こうしたことを理解する人ほど、言葉がもたらしてくれる「継承」の力を発揮することができます。現代に生きる私たちが、過去から伝えられた何かを継承するとは、自分の眼差しを通してその何かを新しく生まれ変わらせることであるといえます。

また、自由な解釈とは別に、利己的な改竄（かいざん）は、かえって継承のすべを断ってしまいます。過去、史書や家系図の偽造といった例は枚挙に暇（いとま）がありません。しかし現代では、様々な原典を検索してアクセスし、比較検討することがますます容易となることから、改竄による継承断絶に対する抑止力も、発揮されることでしょう。

あくまで原典から学び、現代の眼差しでもって翻訳できる作家は、歴史という巨大な価値を味方にすることで、生き残る可能性を飛躍的に高めるのです。

④ 言葉が文明の基礎となった理由――「法則」を抽出できる者は生き残る。

言葉は記号です。その特徴は、なんといっても「入れ替えることができる」ということ。どんな配列の仕方も容易であり、順番を変えるだけで新たなものの見方を与えてくれることもあれば、学術において設定された問題から、答えを抽出することもできます。哲学などまさにそうですし、記号を駆使し、「発見を伝える」という点で、数学や物理学も「文脈」の一種なのです。

こうした言葉の力を活かすことができる人と、できない人の差は、明白です。あるものごとに、パターンを見いだせるかどうか。AとBの間に共通する何かを発見できるか。Aさんが言っていることと、Bさんが言っていることのうち、共通する部分と矛盾する部分とを、的確に指摘できるか。

言葉は、このような千差万別の「法則」の抽出を可能とする道具でもあります。文学や美術、政治学や経済学、科学は、この言葉の力によって成り立っており、特定の学術上の目的にのっとって記述された無数のものごとが、いわゆる「文明」なのです。

この「法則」を抽出する力は、様々な言葉によって刺激されながら、自身の知性を育む（はぐくむ）ことでしか身につきません。

膨大な言葉の連なりの中から、ふと何かを釣り上げるようにして、一定の法則を見出す。

それを、様々に応用し、自分の作品づくりに反映させる。

それは、自分自身の作風の癖かもしれません。現代の読者に特徴的なものの見方についてかもしれません。時流のサイクルかもしれず、英語と日本語の共通点と相違点かもしれず、東西の物語に共通する何かかもしれません。

ジョーゼフ・キャンベルという、私が心の師と仰ぐアメリカの神話学者は、世界中の神話を比較検討することで、全ての神話に共通する要素を抽出することに成功しました。

そうした何かをつかみとることができる作家は、まず確実に生き残ります。

余談その二　選択的注目（セレクティブ・アテンション）とフェイク

インターネットで「selective attention」と検索すると、様々な動画やセオリー（論述）を知ることができます。これは、いかに人が「ものを見ていないか」、指示されたとたんそれ以外のものを「無視するようになるか」、ということを明らかにする実験です。

有名なのは、「十人程度の人々が、互いにバスケットボールをパスし合う回数を数える」というもの。このパスし合うボールの間を、ゴリラの着ぐるみをまとった人間が堂々と横切っていくのですが、パスの回数を数える人々の大半が、そのことに気づかないそうです。

また、この実験があまりに有名になってしまったため、別の「盲点」を設定する実験もあります。背景のカーテンの色がいつの間にか変わっていたり、パスし合う人が何人か退場していたり。いずれも、気づく人の方が少ないことがわかっています。

もちろん、気づかないことが悪いとか、その人の能力の低さを示しているといったことではありません。人が社会を築く理由をはっきり示しているといえます。

私たちが生活する上で、目に映る全てのものに注意を払っていては、膨大な労力と時間を奪われます。無数の人間が、おのおのの分担に従って注意を向けるべきものを選択することで、個人のパワーと社会のパワーとを最大化することができるということです。

ただし重要なのは、「たった一言」で、そうした社会的なあり方すら変わる可能性があるということ。「ゴリラがいる」と誰かが口にするだけで、それまで認識していなかったそれを全員で「見る」ことができるのです。この「選択的注目の上書き」というべき言葉の力が、インターネットの発達に伴い、今後ますます活用されることになるでしょう。

嘘による上書きや、存在しないゴリラを「いる」と言い出す人も後を絶たないに違いありません。実のところ、それはこれまでメディアがやってきたことでもあります。その主体が個々人へ移行したことで、言葉の力も新時代の担い手のもとへ渡りました。

たいていそういう時期ほど、言葉の力が濫用されることを歴史が示しています。活版印刷の発明、製紙技術の発達、電気通信網の発達といった時期などです。

ではインターネットの発達の結果、何が起こるのか？　それはまだわかりません。

一つ言えるのは、言葉の力は個人のためのものではないということ。

他者がいなければ成り立たないどころか、まったく不要のものだということです。

言葉はある種の万能力を人にもたらしますが、その力を行使した結果、孤立してしまうような人や集団は、遅かれ早かれ自分にやどっていたはずの言葉の力を、自ら消し去ってしまうのです。つまるところ「狼が来た」と叫んで人を動かすことに喜びを見出してしまった少年と同様の結末を迎えることになります。

ただし、その過程でどれほどの悲劇が起きうるかは、まだ想像もつきません。

第二章　文章を知る者は生き残る

文章とは何でしょうか？　言葉の連なりです。では連なりとは何でしょうか？

まず「始点と終点」があり、段落、すなわち「順序」が明確な、記号に特有の「入れ替えることが可能な要素」の集合のことです。

これらが、文章というものを扱う上で最も重要な、三つの主題となります。

では、一つずつみていきましょう。

⑤　文章の性質――始まりと終わりをイメージできる者は生き残る。

文章の基本的な性質は、なんといっても「一直線」になるということです。

ある単語から始まり、最後の単語に至るまで、一本の線をなします。逆方向に読んだり、好きな場所から読んだりするようにはできていません。最初に注目すべき始点となる単語が決まっていて、字面を追いさえすれば、やがて終点となる単語に辿り着きます。

絵や彫刻では、作り手がいかに作品の始点となる部分を強調し、ある点から別の点へと視線を導く構成を緻密にしても、見る側が従うとは限りません。絵画的感性と無縁の人は、絵の額縁が豪華だからきっと良い絵なのだろうといった理解の仕方をします。

他方、文章の始点と終点は、厳密に定められています。

なぜかといえば、文章が音声の連なりであるからです。どのような文章も、言葉の表音機能に従って読まれます。

音声は、始まりと終わりを持つ「ひと連なり」となって初めて意味をなし、文章もこの厳密なルールによって成り立ちます。文章は音声でもあるという事実を無視した技術は、一部の実験的な詩などを除いて、存在しません。

また文章は、一行ずつ音声を表記します。オペラのように複数の音声が入り交じるということはありません。いっぺんに二行ずつ読むといったことを想定していないのです。

こうした厳密なルールに従いさえすれば、文章というものは、誰が書いてもそれなりに意味の通じるようにできています。文章のルールがどのように書くか示してくれているからで、私たちはそれに従っているに過ぎません。

ではどうして、文章の書き手によっては、巧拙が生じるのでしょうか。

まず、音声と字面がおりなす「意味」の伝え方の工夫があり、それが「感情」を刺激するということを知る者ほど、巧みに文章を書くことができます。

文章の巧者は、あるものごとを伝える際、相手の意表を衝く、常に興味を刺激する、面白おかしい気分にさせる、厳粛な気分にさせる、といった目的意識を持って書くわけです。

特定の情報を伝えるだけでなく、相手の感性を揺さぶり、注目を持続させ、そして最終的なゴールへと導く。

こうした目的意識にもとづいて構成された文章を、人は「巧みである」とみなします。読者は、自分が読む文章を操作できません。書き手の誘導に従うばかりです。

誰かが運転する車に乗るのとまったく同じです。運転する者が、ひんぱんに元来た道を引き返し、しょっちゅう何かにぶつかりそうになって急停止を繰り返しながら堂々巡りをするばかりでは、ともに乗るほうは「下手な運転だ」と思うでしょう。

文章も同じです。目的地と経路がしっかり頭に入っている者が書いた文章ほど、スムーズに、あるいは意図的な演出を交えて、読者を結論へと導くことができます。

文章を書いてそれを誰かに読ませることを、ちょっとしたドライブに連れ出すとか、小径（こみち）を一緒に散歩するといった行為に置き換えてみて下さい。

計画なしに予想外の道行きを好む人もいるかもしれません。しかし、今どこにいるかも、どこに向かっているかもわからず、どこが目的地であったか見失い、果たして家に帰れるのかすらおぼつかない状態を、延々と味わいたいとは思わないでしょう。

いわゆる「下手な文章」は、読む者をまさにこうした気分にさせます。

誰かをどこかへ連れて行く際、最も重要なことはなんでしょうか？

当然ながら、「どこから、どこまで」なのかということです。どこで乗せて、どこで降ろすか。どこから始めて、どこで終わらせるか。

文章の短さや長さは関係ありません。書く前から文章の最初と最後をしっかり意識している書き手ほど、人を巧みに導くことができます。そしてその巧みさが読者に安心感を与え、その安心感が信頼となって、書き手を生き残らせるのです。

⑥　文章の構造――順序をイメージできる者は生き残る。

文章の始まりと終わりを確実にイメージできるようになると、さらに緻密な順序の工夫ができるようになります。

まず、例文を御覧下さい。

なぜ人を殺してはいけないのか、という問いを一時期よく目にしました。特に神戸で十四歳の少年が連続殺人で捕まった頃に多かったようです。それについて私なりの答えを述べます。

ここでいったん、ロケットの話に飛びます。

二〇〇三年、中国が有人宇宙船の発射に成功した、と各新聞が一面で取り上げていました。基本的には快挙として扱われていたようです。

しかし、飛ぶだけなら蠅でも飛ぶわけです。

（『死の壁』養老孟司　新潮社）

私が、文章技法において尊敬してやまない、養老孟司先生の文章です。

十四歳の殺人犯の話から、ロケット、中国、そして蠅と、話題が次々に飛躍するにもかかわらず、ひとまとまりの文章として読者を納得させてしまいます。

文章の始まりと終わりだけでなく、「全体」を完全にイメージできているからこそ可能な、文章の妙技です。

養老孟司先生は、解剖学を学んだ方です。解剖とは、完全に一つである肉体を、部分へと切り分けていく技術であるといえます。人間には心臓がある。ではどこからどこまでが心臓なのでしょうか？　心臓からのびる血管、周囲の組織、多種多彩な細胞群のうち、どれが心臓で、どれがそうではないのでしょうか？

　このような疑問は、「全体」とはなんであるか、ある「部分」を「部分」とみなすとはどういうことかを強く意識させます。

　そうして培われた解剖学的かつ三次元的な眼差しによって、「全体」と「部分」を同時に見渡すからこそ、自由自在に文章の順番を入り組ませることができるのです。

　高度なＧＰＳとＡＩの支援を受けたナビゲーション・システムのように、いきなり行き先を変えたり、ふと立ち止まったりしても、あっという間にそれを「経路」に組み込んでしまうわけです。結果、その文章は、ただ読者の興味を刺激するだけでなく、より広大な視野を読者自身に経験させることになります。

　歴史に残る名文のたぐいは全て、このような「全体」と「部分」を同時に見渡すことによって巧みに構成されているのです。それがいわゆる文脈です。


　具体例を、文章以外で二つみてみましょう。

　一つはサーカスです。

　サーカスは演目の順序が命といわれています。最初は、舞台の平べったさを意識させる動きを見せます。空間の土台となる「地面」を意識させるわけです。それから上下の動きを見せます。「地面」から離れた「空中」の存在を意識させるためです。

上下の動きと左右の動きを、交互に見せます。どちらか片方ばかり見せ続けると、観客の目が慣れてきて、すごいものを見ているのだという気分が薄れるからです。

空間を最大限意識させ、多彩な動きで観客を十分に感動させたところで、ピエロを登場させます。観客を舞台に引っ張り上げて、芸をしようとして失敗したりする。これは、興奮で麻痺しかけた観客をクールダウンさせるとともに、舞台上で繰り広げられる芸が超絶技巧であることを改めて印象づけるためです。

盛り上げとクールダウンを適切に行い、段階的にフィナーレへと観客を導きます。

こうして、あらゆる「部分」が一体的に計算されて一つの文脈をかたちづくることで「サーカス体験」が成り立つわけです。

文章も同じです。読者のある感情を刺激したら、別の感情を刺激する。刺激し続けたら休ませる。休ませている間に、あらかじめ次の主題への興味を喚起させておく。

文章の「全体」と「部分」を同時に見渡すことで、こういった順番の設計ができるようになります。

もう一つ、別の具体例をみてみましょう。

コース料理です。

フルコースのディナーや、懐石、満漢全席などは、次から次に異なる料理を振る舞うことで、客を楽しませます。これらも順番が命です。五感を刺激し、空腹感と満腹感を味わわせながら、「特別な体験としての食事」を成り立たせます。

当然ながらこれも、「全体」と「部分」を同時に見渡しつつ、一つの文脈をかたちづくって、その文脈に人を導き入れねばなりません。

さらにはコース料理の場合、文化的な伝統という背景が存在します。料理そのもの以上に、どこでどのようにしてその料理が生まれたか、今それはどのように受け継がれているのか、今だからこそ存在する新たな要素は何か、といった、より広大な世界をも、「全体」の一環として表現しなければなりません。

余談ですが、私はこのコース料理における伝統的背景を、第六の味覚となる「ありがたみ」として機能する物語であり、言葉が味覚にも影響を及ぼす証拠だと考えています。


さてこのように、「全体」と「部分」を見渡し、文脈をかたちづくるべく、順序の工夫に情熱を傾けることで成り立っている具体例は、世に数多(あまた)あります。

なかでも文章は、とりわけ参加がたやすく、得るものが豊富で、多種多様な体験を提供できる力をもっているのです。

この力を発揮しうるほど「順番」のイメージに熟練する作家は、当然ながらその文章体験を求める顧客に支えられ、生き残ることになります。

なお、作家志望の方からしばしば「伏線の張り方」について尋ねられますが、まさにこの文章の順序を、どうイメージするかにかかっています。

伏線とは、答えを示す単純な文章やキーワードを分割し、あちこちに配置することで、全て読み終えてのち一つの文章が完成すると考えるとよいでしょう。

たとえば、「犯人は」「どこどこの」「だれだれだ」という単純な言葉を順不同にちりばめ、長い紙数をかけて述べるということです。「だれだれだ」を先に書いておき、「どこどこの」が現れ、最後に「犯人は」につながる、といった具合です。

重要なのは、伏線は物語そのものではないということ。純粋に順序の問題であり、すでにある物語をどう読者に見せるかという技術です。

具体例を本書の終わりのほうの「付録」に載せておりますので、伏線について学びたい方はそちらを御覧下さい。

⑦　文章の工夫――五つのルール、「増やす・減らす・入れ替え・統合・分割」を自在に駆使できる者は生き残る。

ひとたび書かれた文章を加筆修正して工夫を重ねることを、ドアを推したり敲(たた)(叩)いたりすることに喩えて、推敲といいますが、つまり具体的に何をするのでしょう？

実のところ、推敲と呼ぶべき行為は、五つしかありません。
増やす。言葉数を増やし、表現をより多彩にし、説明を付け加えます。
減らす。余計と思われる言葉や文脈を削ります。
入れ替える。別の言葉に置き換えたり、文章の順番を替えたりします。
統合する。複数の文章を一つにまとめ、様々な要素を統合させます。
分割する。一つの文章を複数に分け、様々な要素に分割させます。

この五つのほか、日本語の場合は、漢字・平仮名・カタカナの表記を変える、読点や句点の位置を変える、改行を多くしたり減らしたりするといったテクニックもありますが、文章の「全体」からすれば大して影響しない「部分」での工夫となります。

文章の「全体」を左右するのは、あくまで推敲の五つの方法です。

これは実践がたやすいので、具体例として、聖書の『創世記』の冒頭を、それぞれの方法で推敲したものを載せたいと思います。

初めに、神は天地を創造された。地は混沌であって、闇が深淵のおもてにあり、神の霊

が水のおもてを動いていた。神は言われた。

「光あれ」

（1）増やす

初めに、神は天地を創造された。これが宇宙全ての始まりである。
地は、混沌に満ちていて何も定まっていなかった。天は、闇に満ちていて深淵のおもて
を覆っていた。
ただ神の霊だけが、天地の狭間にある水のおもてを動いていた。
天地はただそのような姿であった。だがやがて、神は言われた。
「光あれ」

（2）減らす

神は天地を創造し、言った。

「光あれ」

（3）入れ替え

「光あれ」

神は言われた。

それまで、神によって創造された天地においては、地は混沌であって、闇が深淵のおもてにあり、ただ神の霊が水のおもてを動いていた。

（4）統合

初めに天地を創造された神は、地が混沌であり、闇が深淵のおもてにあるとき、その霊を水のおもてで動かしながら言われた。

「光あれ」

（5）分割

初めに。神は、天地を創造された。

＊

地は混沌であった。闇が深淵のおもてにあった。神の霊が水のおもてを動いていた。

＊

神は言われた。

「光あれ」


以上が、推敲の五つの方法のうち、一つずつ用いた場合の簡単な例です。

これらをどう用いるかは、そもそも何をどう伝えるべきか、「全体」と「部分」をどう整えるか、どのような読み手を想定しているか、といった指針によって異なります。

指針がなければ、五つの方法を適当に使い、ただ文章をいじるだけになります。前後の文章によって印象は千変万化するため、たまたま上手くいくことを願うしかありません。ひとたび書き上げた文章を、とめどなくこねくり回し、ただ時間が費やされるばかりで、作品の完成から遠ざかってしまう新人作家もいます。

今ある文章と、推敲されてのちの文章の両方のイメージを正しくもち、比較検討することができなければ、推敲はできません。

推敲できるとは、目の前の文章がもともとどのような意図で書かれたかを知っており、その「全体」と「部分」を見渡すことができ、想定された読者を把握し、その上で、よりよい文章にするにはどうしたらいいか、はっきりしているということです。

このように正しく推敲を重ねることができる者ほど、不要に時間を費やすことなく作品の完成度を高めます。当然ながら、それができる作家ほど生き残ります。

第三章　描写ができる者は生き残る

作家にとって描写の力は大変重要です。

あるものごとを言葉で表現し、あたかも現実に存在するかのように読者に感じさせたり、まったく未知の何かにふれているような気分にさせる。それができる者とできない者の差は歴然で、作家として生き残れるかどうかの分岐点の一つといえるでしょう。

ではそもそも、描写とは何を書くことをいうのでしょうか？

まず人が備える「五感」と対象が存在する「空間」、人の「感情」と「肉体」、そこに流れる「時間」、そして対象の「価値」です。

これらを一つずつみていきましょう。

⑧ 五感の性質――モノと空間を同時に描写できる者は生き残る。

人は、まず五感で対象を認識します。

現代のメディアは視覚と聴覚に傾倒したものが大半ですが、文章においては五感の描写をフルに活用することで読者の感性を様々に刺激することができます。

ではそもそも五感は、どのような役割を担っているのでしょうか。

聴覚における心地よさや不快感、視覚における色彩や形状といったものは、実は五感の発達においては副次的なものに過ぎません。五感は、対象との距離、その対象がどの程度の速度で移動しているか、そしてどの程度、安全であるかを知るために発達しました。

まず人における五感は、対象との距離を以下のようにとらえます。

聴覚　…最も遠いものの接近や遠ざかりを感じ取る。
視覚　…行動すれば手が届くものを感じ取る。（光線は聴覚よりも早く届く）
嗅覚　…すぐ近くにあるものを感じ取る。（安全か危険かを嗅ぎ取る）
触覚　…皮膚による接触を感じ取る。（安全か危険かの最終判断）
味覚　…皮膚よりも内側、最も体内に近い場所で感じ取る。（安全なものだけ口にする）

ホラーなど、危険な何かが接近してくる描写は、必ずこの順番で描写されます。なぜなら人が対象の接近を認識するのが、この順番だからです。五感が、天敵や獲物の存在を察知し、逃走か、捕獲を目的とした攻撃かを選択する基準として発達したことによります。

認識できないほどの圧倒的な速度で迫り、体内にまで侵入する存在が、人にとって最大の脅威であり、「死」の代名詞となります。「雷」や「矢」など時代によって様々に姿を変えてきましたが、現代では「銃弾」が代表格といえるでしょう。

暗雲など自然現象を通して不穏な何かが迫る描写も、風などの音をとらえ、遠くから迫る暗雲に気づき、周囲の空気の質が変化して匂いが変わり、肌に違和感を覚え、体内にまで緊張を覚える、といった順序になります。

そのとき最も重要となるのが「速度」です。対象がどの程度の「速度」で移動しているかによって、対処可能か不可能かが判断されます。

さらに、相手の位置、速度の基準となるのが、空間的な状況です。

広くて移動しやすい場所にいるのか、モノが多くて移動しにくい場所にいるのかによって、自分と相手の移動速度に影響が出るからです。この原始的な体験が、現代の我々の感覚の起源となっています。

いわゆる「立体感のある描写」は、がらんとした広い場所を描写するよりも、いろいろとモノが重なって、彼方を見通せない場所を描写するほうが、迫真的に受け取られます。

これは人が、死角があることによって立体感を覚えるという、五感の発達に基づく習性が肉体的に温存されているからです。

映画の撮影でも、ある空間を移動する人物を描写するとき、あえてカメラと人物の間にモノを配置します。そのモノが視聴者の視線を部分的に遮ってしまうことが、むしろ視聴者に立体感（距離感）を覚えさせるからです。

文章においても、ドアや壁に遮られて向こうが見えないとか、崖に阻まれているとか、密集した木々の隙間からかろうじて光がみえるといった描写が、「立体的」で「目に浮かぶよう」であるという印象をもたらします。

人の感性は、こうした五感の発達の起源に、いまだ従う傾向があります。

たとえば、ある対象が描写されるとき、それがどのような空間に存在しているかによって印象が異なります。言い換えれば、ある対象を認識するとは、ある空間に存在する何かを認識するということです。

たとえば、中世の王様を描写するとします。

豪奢に着飾った王様が、立派なお城の中心に位置する玉座に座っているのと、だだっ広い泥沼で一人さまよっているのとでは、印象はまったく異なります。

あるものを五感でとらえるとき、その対象だけで人は判断しません。その対象が、どのような空間に位置しているかによって、それが立派であるとか、みすぼらしいとか、称えられているとか、孤立しているとかいった印象を抱きます。

映像作品で、必ず背景美術をふくむ「セット」と呼ばれる空間が用意されるのも、このためです。「セット」は、ただ画面を賑やかにするために設置されるのではありません。映し出されるモノや人の印象を、どのように整えるべきであるかという指針に従って用意されるのです。そこにいる人物が華やかな存在なら「セット」も華やかである必要があります。その逆もまた然りです。

もし立派な装いをした人物が、無惨な印象の廃墟に佇(たたず)んでいるとしたら、それはその人物が立派であるがゆえに、あるいは立派であるにもかかわらず、孤立し退廃に陥ったことを表すことになります。

このように、あるモノを五感でとらえるとき、同時に空間を描写できる作家ほど、迫真的な何かを読者に示すことができるのです。

⑨　人物の性質——感情と肉体を同時に描写できる者は生き残る。

人物を描写する際、肌が何色であるとか、大きいか小さいかとか、まるでモノのように書くことが描写であると考えられがちですが、それらはその人物を視覚で特定する目印をつけているにすぎず、その人物固有の何かをとらえたことにはなりません。

人が持つ固有の何かとは、誰かと交換も共有もできず、その人が唯一無二の個人である最大の証拠となるもの、すなわち感情と肉体です。

感情は、その人の内側にしか存在しません。「もらい泣き」や「いらいらが伝染する」など、連鎖的に誘発されるものであることを示す言葉がいくつもありますが、それとて誰かの感情をそのまま譲渡されたり、売り買いして得たわけではありません。

肉体も同様です。臓器移植のように、肉体の一部を他人に譲る行為には、自分にしかない特有のものが失われるという観念がつきまといます。

そして感情と肉体というのは、実は二つで一つのものです。

感情は、頭の中でのみ起こる思念のたぐいではありません。むしろ、「頭ではわかっているのに我慢できない」といった、理屈通りにならない肉体的な反応なのです。

ゆえに古来、感情は肉体を通して描写されてきました。

微笑みを浮かべる。険しい顔つきをみせる。ぱっと手を引っ込める。固く握り拳を作る。全身がわななく。足ががくがく震える。こめかみがずきずき脈打つ。さっと血の気が引く。鼓動が早くなる。深々と溜息をつく。はっと息を呑む。胃の底がひやりとする。腹の虫がおさまらない。地団駄を踏む。

などなど。

こうした感情は、思いもよらず偶発的に起こるものがほとんどです。そのため人は、なるべく不快な負の感情が起こることを避け、心地好い正の感情が起こることを期待して、日々の生活を整え、目標を立ててその通りに行動しようとします。

この感情的＝肉体的な日々の態度が、性格とか、固有の行動原理といった、その人そのものをあらわす何かになります。

社会的立場への不満や満足とか、なぜかいつも鬱々としているとか、何があってもあっけらかんとしているといった、他の誰かが完全に同じになることが不可能な「その人」をとらえて描写することが、人物描写です。

そのために、まず感情と肉体を分かちがたいものとしてとらえる。それができる作家ほど、巧みに人物を描写することができるのです。

⑩ 時間の性質――さらに時間を同時に描写できる者は生き残る。

人間の五感は、ある対象とそれが存在する空間を認識することに成功したことで、五感を総動員してまた別の感覚を作り出すことにも成功しました。

それが時間感覚です。

ある対象から逃げたり、逆にそれを追いかけたりすることから、人間は二つの時間にまつわる感覚を備えてきました。

一つは、動物的な本能として備わる、「速度×時間＝距離」という感覚です。

これが「速さ」の感覚のおおもとで、短いスパンをとらえ、「順位」という観念を生み出す時間感覚として発達しました。

もう一つは、植物の生態や、天体の運行といった自然現象を解明することで備わった、サイクルに関する感覚です。

これが「早さ」の感覚のおおもとで、長い年月をとらえ、「順序」という観念を生み出す時間感覚として発達しました。

これら二つの時間感覚を用いて、人はおびただしいほどの価値を創造してきました。

まず時間感覚には、六つの形態があります。

（1）適切な速さ　（2）過剰な速さ（速すぎる）　（3）不足した速さ（遅すぎる）
（4）適切な早さ　（5）過剰な早さ（早すぎる）　（6）不足した早さ（遅すぎる）

それぞれどのような感覚であるかみてみましょう。

（1）適切な速さ　「スムーズ」「信頼」「確実」「お得」など。
（2）過剰な速さ　「暴走」「拙速」「猛スピード」「せっかち」など。
（3）不足した速さ　「のろま」「鈍重」「もどかしい」「不器用」など。
（4）適切な早さ　「平穏」「落ち着き」「安心」「安定」など。
（5）過剰な早さ　「尚早」「未熟」「未完成」「不慣れ」など。
（6）不足した早さ　「手遅れ」「後の祭り」「時すでに遅し」など。

また、「速さ」は「順位」の観念を、「早さ」は「順序」の観念を生み出します。

順位　最も優れているもの、最も劣っているものなどを抽出する。
順序　事実や優劣にもとづき、ものごとの最も正しい順番を定める。

こうした時間感覚は何より人の生活、ひいては経済活動に密接に関わるものとして発達しました。そのため人の時間感覚を最も活用してきたのが、広告です。
広告においては六つの感覚全てが肯定され、商品の価値に置き換えられます。
過剰あるいは不足が、どのように肯定されるかみてみましょう。

（1）過剰な速さ　「もうこんなに！」「先行開始！」「先駆けて！」など。
（2）不足した速さ　「徹底的に！」「とことん！」「〜し尽くす！」など。
（3）過剰な早さ　「今でしょ！」「もう待てない！」「早くも！」など。
（4）不足した早さ　「復活！」「まだまだ続く！」「終わらない！」など。

このように、本来は速すぎたり遅すぎたりするものを、新たな価値として提示することで、商品価値を維持したり高めたりします。

こうした時間感覚を利用して造り出される様々な価値は無数にあります。

以下に主なものをみていきましょう。

新奇　「最先端」「新常識」「革命的」……最新であることの価値。
古さ　「伝統的」「名高い」「創業以来」「歴史ある」……伝統の価値。
稀少　「レアもの」「限定品」「今だけ」……時期的な希少価値。
多様　「豊富な品揃え」「お望み通りカスタマイズ」……時期的な豊富さ。
新鮮　「みずみずしい」「今が旬」「採れたて」……時期的な新しさ。
瞬間　「即可能」「〜した瞬間」「今すぐ」……速さの強調。

恒常　　　「長持ち」「御用達」「永久保存」……遅さ（長さ）の強調。
順位の逆転　「むしろ今、新しい！」「最新リバイバル！」「生まれ変わる！」
順位の整理　「ＴＯＰ３」「厳選キーワード」

ものごとを選別して列挙するのは、「取捨選択の手間を省く」「時間をかけずに選択を終えることができる」という利便性を示すことでもあります。これらも結局は、時間感覚をもとにした価値であるのです。

列挙　「三大名所」「大図鑑」「全目録」
利便　「～するだけ」「五分でわかる」
信頼　「おなじみの」「実績を誇る」
発見　「重要ポイント」「～が誕生」
保証　「お墨付き」「あの人も愛用」（同時性の強調）

また、こうした肯定的な感情のみならず、否定的な感情も、強く人の時間感覚に訴えることから、しばしば広告において用いられてきました。
ただ特に「不安」と「不満」にまつわる感覚は、特定の何かを中傷したり、いたずらに買い占めを喚起させるといった可能性があることから、しばしば問題視されています。

不安　「乗り遅れる」「間に合わない」「あなたはまだ？」

不満　「二度といや！」「もうしたくない」「こんなのは御免だ」

このように、不安は自分が取り残されないよう自分以外の誰かに損をさせること、不満は自分以外の誰か・何かを生活圏から追い払うことに通じます。

どちらも人に攻撃的な態度をとらせる手法となるため、自制される場合もあれば、煽動に用いられる場合もあります。

ここまでみてきたような時間感覚を伴う文章ほど、身近で自分にも関係があるものとして読者の注意をひきます。なぜなら時間感覚は万人が備え、かつことあるごとに教育され、自ら訓練する、人にとって最も普遍的な感覚なのです。

この時間感覚の描写を駆使できる作家ほど、作中の登場人物の感情を様々に引き起こさせ、ひいては読者を大いに刺激することができるのです。

⑪　価値の性質――さらに価値を同時に描写できる者は生き残る。

価値とは目印であり、合図の一種であるといえます。

人は、「これを見たり聞いたりしたら、こう判断しろ」という抽象的なサイン、すなわちシンボルを無数に作り上げます。

以下に、主なシンボルをみていきましょう。

聖別　旗、鳥居、尖塔、特定の色の線で囲まれた何かなど、聖なるものを示す。
危険　危険なものや場所、生物を示す。
標識　特定の方向へ進んだり、停止や進行を示す。
階級　社会的な序列を示す。
求愛　既婚か否か、求愛可能かなどを示す。
価格　どの国の貨幣で購入できるか、為替の変動や税をふくむかなどを示す。

こうしたシンボルによって想起されるのは、様々な意味であり、そして価値です。

価値の多くは、一見してそれとわかるようなシンボルを伴います。そうでないものは意図的に隠されていたり、まだシンボルを伴っていない未知の価値であるといえます。

重要なのは、世において無数の価値が生じては消えていくという事実です。

価値とは変化するものであり、その変化をとらえることで、はじめて価値を描写することができるのです。

その変化の一種を数学的にあらわしたのが、「限界効用逓減(ていげん)」です。

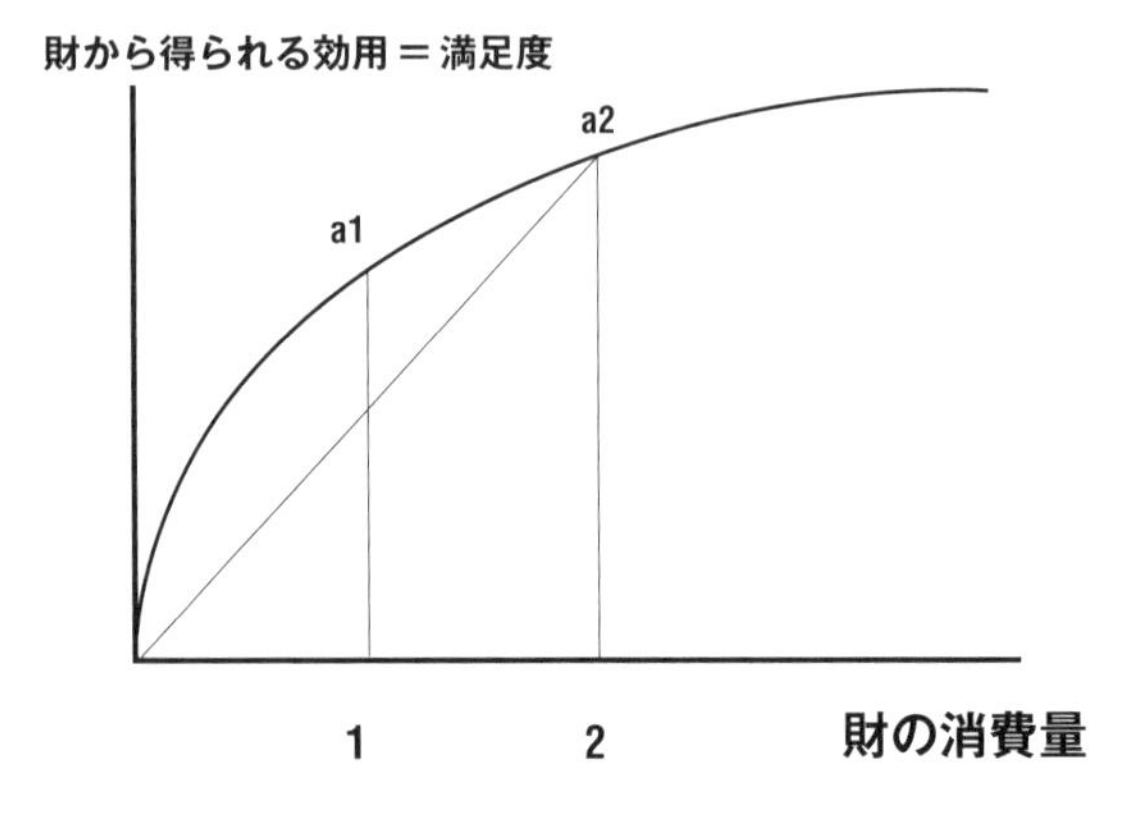

これは「財の消費量が増えるにつれ、財を追加消費することで得られる効用は、逓減する（だんだん減っていく）」ということを示したものです。ドイツの経済学者ヘルマン・ハインリヒ・ゴッセンが提唱したことから、ゴッセンの第一法則ともいいます。

あるモノを手に入れれば手に入れるほど、飽きたり不要になったりする。それが価値の逓減です。ほかにも法則があり、「ゴッセンの三つの法則」と呼ばれます。

簡単にいうと次のようなことです。

第一法則　限界効用逓減。同じモノを手に入れ続けると、そのモノから得られる満足感が減る。

第二法則　限界効用均等。人は満足し続けたいので、より満足するモノを選ぶ。

第三法則　需要が供給量より少ないものには価格はつかない。

このうち第三法則については、疑問符がつけられています。ニッチとかマニアックと称される世界で、極端に需要が少ないにもかかわらず破格の値段がつく場合もあるからです。

さて、こうした価値の変化には、四つの状態があります。

期待　まだ手に入れていないときに最大の価値を感じている状態。

逓減　手に入れてのちだんだん価値が減っていく状態。
依存　中毒の状態。
消失　最小の価値ないし無価値であると感じている状態。

価値はこの四つの状態のうち、期待・逓減・消失の間を行き来します。
また価値の状態を固定してしまうのが依存で、最終的には価値の破壊となります。
こうした価値の関係を図にしたものがこちらです。

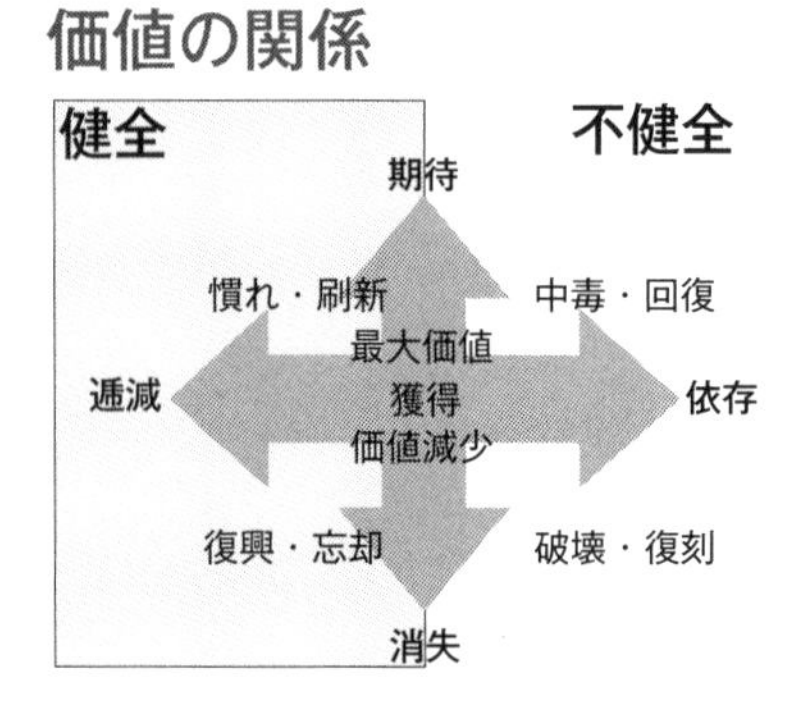

ここでは価値が「期待」から「逓減」へ移行することを「慣れ」、逆に「逓減」から「期待」へ戻ることを「刷新」と称しています。

価値が「消失」することによって起こるのが「忘却」であり、その状態から立ち戻るのが「復興」です。文芸復興、文化復興などというのは、忘れられていた知識が再び注目を集めるといった状態です。

本来、価値はこのサイクルにおいて成り立っていましたが、文明の発達に伴い、「依存」という新たな要素が加わりました。

あるモノを手に入れたり、摂取したり、あるいは特定の行動をとることがやめられないという、中毒の状態です。

この「依存」が登場したことで、価値は「健全」と「不健全」に区別されるようになりました。というのも「依存」は究極的に、ほかの価値を全て破壊してしまうからです。

麻薬やアルコールの依存症患者は、中毒に陥ったモノ以外の全ての価値を保つことができなくなり、人間関係やおのれの肉体すら興味の外となります。

そして現代では、砂糖、暴食、買い物、窃盗、窃視（のぞき）、性行為、暴走行為など、ありとあらゆるモノや行為への依存が現れました。

そのため様々な作品で、依存を抱えた人物が登場する頻度も増えました。本来の価値のサイクルを保てない苦しみを描くことで、間接的に価値を描いているともいえます。

人やものごとを描写する際は、価値のサイクルを念頭に置き、そこにある価値が今どのような状態へ移行しようとしているかをイメージすることが重要です。

この「価値」を、「五感」「空間」「感情」「肉体」「時間」とともに描写できる作家ほど、真に価値ある文章を作り出すことができるのです。当然ながら、これら全てを余さずとらえる作家は、迫真の描写力という何にも優る武器によって生き残ることができます。

様々な「描写」の例

本文のあとの付録でも改めて提示しますが、ここで少しばかり、過去の名文・名作から、描写の具体例をみてみましょう。

「アルコールは恋に似ている」と彼は言った。「最初のキスは魔法のようだ。二度目で心を通わせる。そして三度目は決まりごとになる。あとはただ相手の服を脱がせるだけだ」

（『ロング・グッドバイ』レイモンド・チャンドラー／村上春樹訳　早川書房）

価値の逓減が素晴らしく明白に表現されています。とともに、アルコールという中毒になりかねないものについても言及され、中毒それ自体に価値はないことが語られています。

レニーは帽子のまま頭全体を水に沈めてから、水際に腰をおろした。帽子のしずくが青い上着に垂れ、背中を伝わって落ちてゆく。「ああ、うめかった。ジョージ、おめえもいくらか飲め。思いっきり、うーんと飲めや」レニーはしあわせそうなほほえみをもらした。

（『ハツカネズミと人間』ジョン・スタインベック／大浦暁生訳　新潮社）

五感と空間、感情と肉体、水の動きによる時間の感覚、価値の感覚といったものを余さずとらえた、きわめて豊かに完成された人物描写です。

祇園精舎の鐘の声、諸行無常の響きあり。
娑羅双樹の花の色、盛者必衰の理をあらは（わ）す。
おごれる人も久しからず、ただ春の夜の夢のごとし。
たけき者も遂にはほろびぬ、ひとへに風の前の塵に同じ。

（『平家物語』）

音から始まり、色へと移る。聴覚から視覚へ、対象が接近していることがわかります。空間が描かれてのち、夜の夢という人の内側へと入り込みます。

鐘の声をスタートとし、花の色（季節）、夜の夢（ひと晩）、風の前の塵（一瞬）と、どんどん短いスパンになっていく。主題に従って、時間感覚を正しい順番で列挙していることがわかります。

もちろん主題は価値についてです。この世の全ての価値が移ろうことを、五感、空間、時間を通し、描写し尽くしているといっていいでしょう。これぞ名文の代表格です。

春はあけぼの。やうやう白くなりゆく山ぎは、すこしあかりて、紫だちたる雲の、細くたなびきたる。

夏は夜。月のころは、さらなり。闇もなほ。蛍のおほく飛びちがひたる、また、ただ一つ二つなど、ほのかにうち光りて行くも、をかし。

雨など降るも、をかし。

（『枕草子』）

これは空間と時間の描写という点で、ずば抜けた完成度を誇る文章といえます。

平安時代の「ものづくし」という、あるお題に従って、連想したものをあれこれ書き並べる手法にのっとっていながら、まったく独自の描写の工夫を凝らしています。

だんだんと白くなっていく山際という明るさの描写から、ふいに夏は夜、という暗さの描写へと一転します。

夜、と思いきや月がのぼり、また闇に立ち返り、そこへ多くの蛍が舞い飛び、かと思うと一つ二つほのかに光る。

そして、雨の夜という、真っ暗な中で、音だけが響くシーンへ移り変わる。

明るい、暗い、という様々なバリエーションを駆使し、言葉と言葉が互いに強調し合っており、緻密に計算された言葉の並べ方であることがわかります。

また、書き手の「肉体」が存在する「空間」と「時間」が次々に移り変わり、「五感」や「感情」が刺激され、テーマである「をかし」という「価値」が描写されます。

プロジェクション・マッピングやVRなどで、しばしば日本の古典が題材とされやすいのも、ビジュアル化が容易だからであるといえます。文章の構成自体がダイナミックかつ巧みであり、明確な指針に基づいた描写がなされているのです。

こうした過去の名文は、何より言葉の力を雄弁に教示してくれます。完成された文章ほど、はるか遠く時を超えて人に伝える力を持つのです。

第四章　物語る者は生き残る

作家といえば物語を書く者である、と考える人も多いでしょう。

必ずしもそうではないのですが、とりわけ物語の書き手に注目が集まるのは、端的に言って、「連想からの逸脱」「反論」「解決」という物語の機能が、人の生活に欠かせないものであるからだといえます。

物語とは何か、ということもふくめ、一つずつみていきましょう。

⑫　物語の開始——連想から逸脱できる者は生き残る。

連想とは、あるものごとにふれたとき、別のものごとを自動的に思い浮かべることをいいます。そして社会とは、一つの巨大な連想です。これを「常識」といいます。

古代の社会は、誰もが理解できる、まず何より自然現象と人との関係、あるいは人とコミュニティの関係を、誰もが自動的に思い浮かべるものとすることを主眼としました。

ただルールを定めてそれを守らせるのではなく、無数の「常識」を作り上げたわけです。

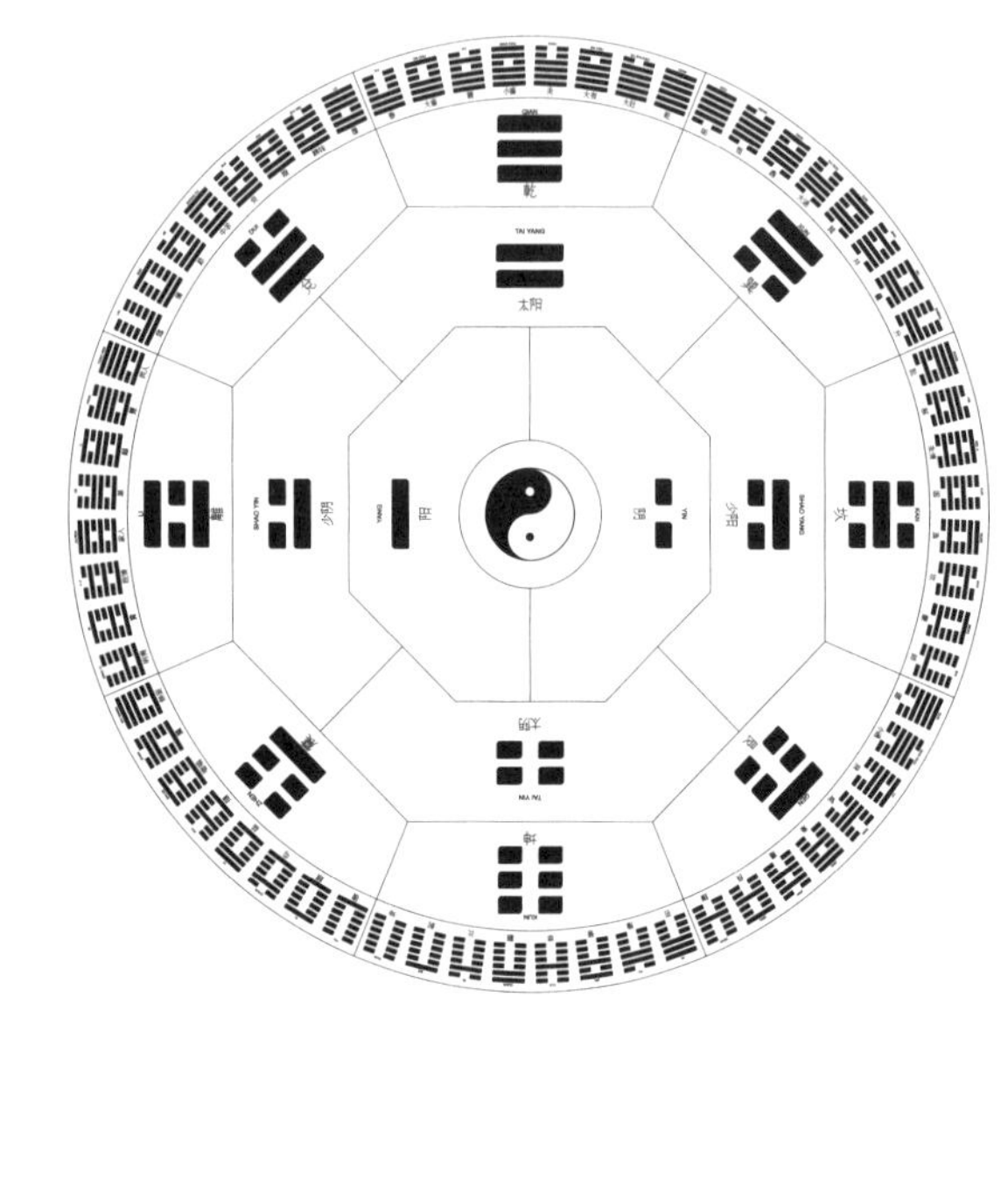

これは易経の伏義六十四卦方位図です。韓国の国旗にも描かれている最古のデジタル記述法といえます。

全てを陰と陽、すなわち0と1で表現することにより、世界に存在する全てのものごとを表記し、かつ相互に意味づけたり、対比したりすることが可能となりました。

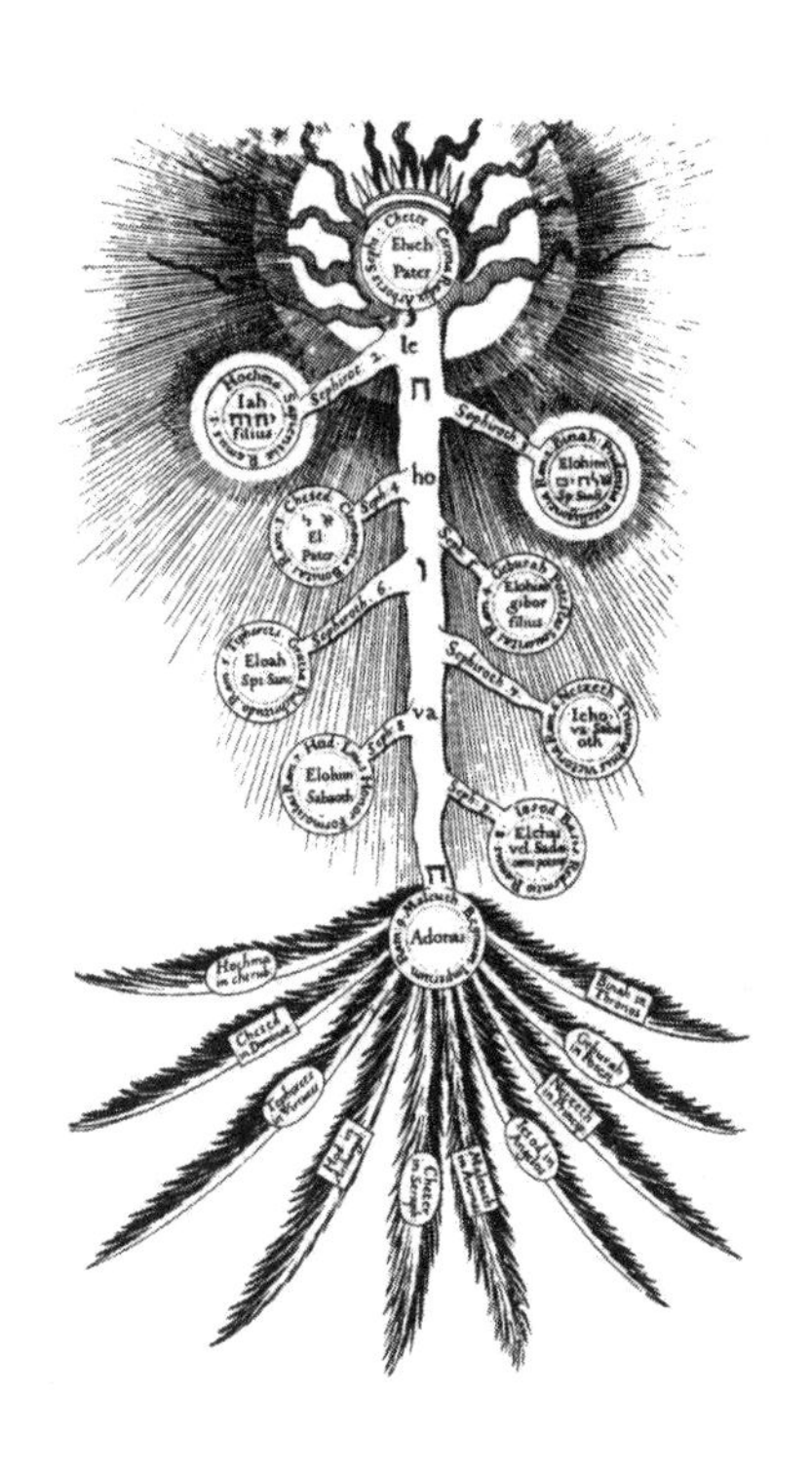

こちらはユダヤ神秘思想のカバラなどにみられる「生命の木」と呼ばれる図表です。魂、精神、肉体、世界、天界、神、悪魔などの関係をあらわすことにより、人はどう生きるのが正しいか、といった価値の体系を作り上げることに成功したといえます。

こうした連想が体系化され、様々な「常識」が生み出されることによって、あるコミュニティに属すための様々なルールも整えられてきました。

たとえば――椅子は、人が座る道具です。

もしそれを「持ち上げて使うもの」ととらえるなら、連想から逸脱する、つまり「常識」を破ることになります。

そして実際にそのように椅子を用いて成功したのが、しばらく前のカンフー映画でした。低予算であることから、身近な道具を使ってアクションを組み立てるしかなかった。しかし結果的に、椅子、机、カーテン、花瓶、皿などを、思いもよらない使い方をすることで、観客の度肝を抜き、一世を風靡（ふうび）しました。

また、一人の人間が集団を相手にして腕力で勝てるわけがない、といった連想を逸脱することで、様々なカンフー・ヒーローが生まれ、現代にも引き継がれています。

こうした連想からの逸脱が、物語を誕生させる契機となるのです。

ではどうしたら逸脱できるのでしょうか？

そのすべを知るには、そもそもなぜ人は連想を大事に守りたがるのかを知る必要があります。

その最も明確な理論が、「プロスペクト（期待）」と「バイアス（先入観）」です。

二十世紀終盤、行動経済学において「プロスペクト理論」が、主にダニエル・カーネマンとエイモス・トベルスキーによって提唱されました。

彼らは、「利益と損失がはっきりしているとき、人はどのように選択するか」という実験を行い、「プロスペクト」と「バイアス」のありかたを証明してみせたのです。

その実験の結果をごく簡単にまとめると、「たとえどの選択肢も結果が同じであったとしても、人は目の前の利益を優先し、なるべく損をしないような選択をする」というものでした。

たとえば、二つの選択肢があるとします。
A　無条件で百万円もらえる。
B　コインを投げて、表なら二百万円もらえるが、裏なら〇円になる。
あなたはどちらを選びますか？

実験では、圧倒的多数がAを選ぶことがわかっています。Bでは利益が0になる可能性があるからです。

しかし実は、AもBも、「プロスペクト」すなわち期待できる利益は同じなのです。

Aは百万円。Bは五十％の確率で二百万円なので、これも百万円。これらが、実際に期待できる成果、すなわち「プロスペクト」です。

しかし0になるかもしれないリスクを避けたがることから、Aのほうが安全だと思って選ぶ。この、いわば思い込みが、「バイアス」です。

私たちは日々、この「バイアス」に従って行動しています。

しかしあるとき日常に変化をきたすと、本来の「プロスペクト」に直面し、ときにこの「バイアス」に逆らった行動をとらねばならなくなります。

以下、逆らわねばならない「バイアス」の主な例をみていきましょう。


【タイタニック症候群】

豪華客船タイタニックが沈没した際、船体が巨大であったので沈没することを現実と思えず、極寒の海に降りる理由はないとしたため、結果的に被害が甚大となった悲劇から、いっときの損を拒むなどして現実が見えず、最終的に大きな損害をこうむることをいう。


【節水による水の枯渇】

水不足が生じたとき、みなが慌てて水を溜め込んだせいで水の循環を妨げ、結果的に水不足が加速して完全に枯渇してしまうことをいう。不要な買い占めによる商品の枯渇のほか、古くは農村の餓死などがこうして起こったとされる。

【正常性バイアス】

日常が破綻することが想像できず、危険が迫っても「大丈夫だろう」と思って、何もしない。

大火災、津波、噴火、地震、洪水など、目の前で甚大な災害が発生しているのに、「自分だけは大丈夫」と信じて動かず、被害に遭う人々の行動理由を説明している。

これらが「バイアス」の例です。

簡単にいって、強固な連想が人の行動を封じ込んでしまい、正しい選択ができなくなることをいいます。巨大な船が沈むはずがない、自分だけ得をすればいいと全員が思うことで全滅する、自分が被害を受けるはずがないと思い込む。

こうした例は、ごく日常的に起こることでもあります。やるべきなのにやらない、直視すべきなのにしない、どうしてもやめられない、などです。

物語とは、こうした「バイアス」の乗り越えによって生じる、全てのものごとをいいます。

乗り越えが失敗するか成功するかは、問題ではありません。乗り越えが試みられた、結果的に乗り越えになっていた、といったことが物語となります。

ではその乗り越えは、どのように行われるべきでしょうか？

どのように行われてもいいのです。どんな連想から、どう逸脱するかは、まったく書き手の自由です。

ただ、ここでも有用なキーワードは「5W1H」となります。

接触するつもりのなかった人にあえて話しかける。行くと思っていなかった場所に行く。手にするはずのないものを手にする。それまでとまったく異なる原理で行動する。普段は寝ているはずの時間に活動する。未知の方法を取り入れる。

こうした、人、場所、モノ、理由、時間、方法の全てが、逸脱の契機となります。

逸脱が意外であるかどうか、自然か不自然か、故意か偶発的かも、当然ながら規定のようなものは一切ありません。宗教的、政治的、経済的な拘束といったものがない限り、人はどのように物語を想像してもいいのです。

ともかくは、逸脱であるとはっきりわかるできごとが起こる。それが物語の始まりとなります。またそのためには、どのような「バイアス」が存在し、その乗り越えがどのようにして不可避となったかを書かねばなりません。もちろん、ひとたび「バイアス」を乗り越えたと思ったら、次々に別の「バイアス」に捕らわれることもあり得ます。

連想と逸脱の無限のバリエーションを飽くことなくイメージし続け、自分や世にとって今最も書くべきものを抽出できる作家が、いわゆるストーリー・テラーとして生き残ることができるのです。

⑬ 物語の展開──反論できる者は生き残る。

さて、ひとたび連想から逸脱した登場人物は、その後どうなるでしょうか？

順当に目的を達成しました、という結論でも、もちろん物語として成り立ちます。

しかし多くの場合、様々な「反論」が登場人物の前に立ちはだかります。

それは登場人物自身の思い込みかもしれませんし、周囲の人間の頑な考え方かもしれません。いずれにせよ社会は逸脱する者を好まず、多くの場合、たとえ誤ったものであっても「バイアス」に従うよう命じます。

このときなされるのが、相互の反論です。

登場人物とそれ以外のものごとや人との間で、反論の応酬がなされることによって、その逸脱が正当なものであったかどうかが確かめられます。

そして反論には、命題（テーゼ）という基礎となるルールがあります。

命題とは、「真か偽か判断できる文章」のことをいいます。イエスかノーか断言できる文章であるということです。

この命題の正があり、反があり、最後に合がある、というのが、ここでいう反論の基本となります。

以下に、命題のバリエーションをみていきましょう。

□定言命題
全称肯定命題　「あらゆる○○は」＋「○○である」
例「あらゆる人間は」＋「血縁のある母胎から生まれる」
全称否定命題　「あらゆる○○は」＋「○○でない」
例「あらゆる人間は」＋「卵からは生まれない」
特称肯定命題　「ある○○は」＋「○○である」
例「ある人間は」＋「代理母から生まれる」
特称否定命題　「ある○○は」＋「○○でない」
例「ある人間は」＋「血縁のある母胎から生まれない」

□単称命題　主語が固有名詞の場合。（全称命題の一部とされる場合もある）
例「冲方丁は」＋「作家である」

□仮言命題　「もし○○ば」＋「○○である／でない」
　例「もし三十分で一時間とするならば」＋「一日は四十八時間となる」
□選言命題　「○○は、○○、または○○である」
　例「人間は、男か、または女である」
□命題の正反（テーゼとアンチテーゼ）
テーゼ　命題の正。前提となる文章。
　例「人間は男と女のどちらかである」
　例「ＡＩは人類社会を発展させる」
アンチテーゼ　命題の反。命題に対し「ノー」と返す、反論となる文章。
　例「人間は男か女かに分けられるとは限らない」
　例「ＡＩは人類社会を崩壊させる」
□命題の合（アウフヘーベン）

アウフヘーベン　矛盾する言葉を統合する。正反合の「合」。
例「人間は男と女とそれ以外にも分けられうる」
例「ＡＩは人類との調和により社会を発展させも崩壊させもする」

この命題の正反合という考え方は、主にドイツで定式化され、日本にも輸入されました。哲学者のヘーゲルやカントが用いた弁証法などです。

難解な用語が多数存在しますが、むろん、これらを暗記することで物語が書けるわけではありません。

重要なのは、「反」の存在が、最初の命題の「正」を、「合」というより高度な段階へ運ぶということです。

そのためには、何より「反」が正しく反論として機能していなければなりません。ただ命題の存在を否定すればいいというわけではないのです。

新人作家はしばしば登場人物同士に反論の応酬をさせようとして、単に罵詈雑言（ばりぞうごん）をつらねたり、人格や存在を否定する言葉を並べたりしますが、それらは反論ではありません。

反論が正しく理屈の通ったものであればあるほど、その後の「合」、すなわち解決への道も明らかとなります。

以下に、反論の基本的な段階をみてみましょう。

1　「主語」＋「～である」という命題の存在を確認する。
2　命題が反芻（はんすう）される。その命題が成り立つ条件を確認する。
3　反論が開始される。その命題が成り立たない条件を確認する。
4　「主語」＋「～ではない」という反論が示される。

この段階を踏み外したものは、たとえ強い印象を持つ言葉を並べたとしても反論になっていない場合がほとんどです。単に命題をすり替えたり、歪めたり、無視したりすることで、反論らしい言葉を並べると、その先の「合」への道が閉ざされることになります。

そうなると、せっかく連想から逸脱できた登場人物が、その後辿るべき道を見いだせず、ただ孤立するか元いた場所に戻るほかありません。

ディズニー映画の脚本などは、何よりこの「反論」による筋道をとてつもなく巧みに構成します。登場人物は、ありとあらゆる「反論」に直面しますが、結果的には全ての「反論」が乗り越え可能であり、「合」へと至る道であることが明らかとなります。

ピノキオは人間になりたいという逸脱をはかります。人形は人間になれない、という反論に出くわします。しかし必ず人間になるすべはあるという反論の応酬となります。

ニモは自分も一人前に泳げるという逸脱をはかります。片方のヒレの形が正しくないからまともに泳げるはずがない、という反論に出くわします。それでも泳げるはずだという反論の応酬となります。

エルサは常識を逸脱する力をあらかじめ与えられています。だがその力を使ってはならないという、様々な反論にがんじがらめになっています。その力を使ってもいいはずだという反論の応酬となります。

このように、しっかりと理屈の通った反論は、子どもでも理解できるものが大半です。ただの罵倒や人格否定とはまったく異なることがわかるでしょう。

正しい反論を登場人物の行く手に用意できる作家ほど、物語に緊迫感を持たせると同時に、意義深い結末へと導くことができるのです。

⑭ 物語の結論——解決できる者は生き残る。

連想から逸脱し、反論を乗り越えた登場人物は、何を得るのでしょうか？

それは書き手の裁量次第で、結局は何も得ることがなかった、という物語ももちろんあります。それどころか何もかも失って、逸脱すべきではなかったという結論に至るかもしれません。

　とはいえそれは物語の結末に過ぎず、読者は物語を通して登場人物とはまた異なるものを得ることとなります。

　とりわけ、正反合の「合」に至る物語は、たとえ登場人物が悲劇に見舞われて終わったとしても、読者にはなんらかの「解決」が示されることとなります。

　そして、人が「解決」を実感するのは、主に四つの論点においてのこととなります。

　感情、論理、律法（習慣）、諧謔（かいぎゃく）です。

　以下にそれぞれみていきましょう。

一、論点の感情的な解決……「ゴジラ対ラドン効果」の乗り越えと共感原則。

「ゴジラ対ラドン効果」とは、アメリカの心理カウンセリング用語の一つで、互いに大声を上げ続けると、かえって解決から遠のくことをいいます。ゴジラが叫べばラドンも叫び、その逆もしかりで、最終的には東京が壊滅するというわけです。

　この乗り越えをはかるために考え出されたものの一つが、一九八〇年代のニューヨーク市警における共感原則です。特に、人質をとって立てこもる凶悪犯に対し、以下のように振る舞うことが、被害を最小限に食い止める方法とされました。

1　寛容　相手の感情に合わせず、穏やかに話す。「さあ、話して下さい」
2　傾聴　相手の発言に耳を傾ける。「うんうん」「そうだね」
3　理解　相手に理解を示す。「それは辛い」「それは驚きだ」
4　質問　相手に考えさせる。「で、私にどうしてほしい？」

相手の激昂した感情を宥め、とにかく銃撃戦を回避するという説得の方法です。今のアメリカではすっかり忘れられてしまった感がありますが、いわゆる人質交渉人の大原則でもあります。

この解決法で留意しなければならないのは「1　寛容」で「相手に合わせない」という点です。激昂する相手に合わせて、自分までもが激昂してはなりません。一方が冷静な聞き手になることによって、他方が宥められていくことになります。

物語における感情的な論点も、これと同様に解決がなされます。

少年・少女マンガでは、登場人物たちが長々と過去を語るといった展開がみられますが、多くは論点の感情的な解決を目指したシーンです。

もちろん物語においては「4　質問」で突拍子もなく、感情が暴発するものもあります。

クエンティン・タランティーノ監督の作品などは、この共感原則を意図的になぞりながら、突如としてひっくり返すところに面白さがあるわけです。互いに長々と話し合っておきながら、結局、何も解決せず最悪の結末を迎えるアイロニーが、むしろ痛快なカタルシスとなる場合もあります。

この論点を適切に用いることができる作家は、感情的カタルシスを通して、何より読者の感情を揺さぶることができるのです。

二、論点の論理的な解決……法則に基づく解決。

科学的、数学的、はたまた様々な学術的な論理に基づいた解決のことをいいます。刑事ものや探偵ものの解決は、例外なくこの「法則に基づく」ものでなければなりません。さもなければ超常現象による解決となってしまいます。

この解決法で留意しなければならないのは、「万能ではない」ということです。法則というものの大半は、一定の条件下でしか成り立ちません。

たとえば、二〇一一年にアメリカのギャンブラーであるドン・ジョンソンは、半年間で千五百万ドルをカジノからせしめてのち、永久追放になりました。

カジノのルールというのは原則としてプレーヤーが必ず負けるように設定されています。しかしドン・ジョンソンは、リーマンショック後の未曾有の大不況下のカジノに、あたかもカジノ側がより利益を得るかのようなルール設定を提案しました。多額の賭けを行ってやるから、二百万ドル負けたら十五万ドル返してくれ、といった具合です。結果、カジノにとって自分の身を守るものであるはずのルールを、ドン・ジョンソンのいうがままに変更してしまい、とてつもない額のお金を失ってしまったわけです。

これと同様、論理的な論点の解決は、特定の条件下でしか効果を発揮しないものがほとんどです。このカジノも、大不況に陥ってさえいなければ口車に乗らなかったでしょう。逆に論理を万能と信じて失敗する登場人物が活躍する物語もあります。『ドン・キホーテ』などは、騎士道という精神論を、普遍的な論理であるかのようにとらえることで、数々の間抜けな大冒険を繰り広げることになります。

この論理的な論点を適切に用いる作家は、非の打ち所のない必然的な展開を通して、何より読者に納得を与えることができるのです。

三、論点の律法（習慣）的な解決……巨大な命題に寄り添う。

この解決に関し、非常にわかりやすい具体例は「ラジオ体操」です。

まず命題として「運動は健康維持に役立つので国民に推奨したい」という政府の意図がありました。

しかし反論として「毎日忙しい人々に運動を強要しても従わない」というごく当たり前の実情がありました。

この解決として「毎日決まった時間に、同じ体操を、ラジオやテレビで繰り返し流すことで、国民の習慣にしてしまう」という案が実施され、今に至ります。

人にとって習慣とは、連想であり、常識そのものです。どんなに複雑で面倒なものごとも、多くが習慣化されたとたん、解決してしまいます。

これを逆手にとって強烈なディストピアを描き出した作品は多くありますが、代表格は、ジョージ・オーウェルの『一九八四年』でしょう。主人公は巨大な命題に抗（あらが）えないどころか、心を打ち砕かれてしまいます。

逆に、奴隷制などの悪しき風習を打ち破ったり、新たな生き方を提唱したりするのも、律法（習慣）的な論点の解決です。

この解決が、どれほど強い影響力を発揮するか、また別の例をみてみましょう。「ゴールデンウィーク」です。

命題として、「なるべく多くの客に映画を観て欲しい」という映画業界の願いがありました。反論として、「毎日忙しい人々には映画を観る余裕がない」という実情がありました。解決として、「五月の連休を『ゴールデンウィーク』と名付け、映画を観る習慣を根づかせよう」という施策が実施され、今に至ります。たまたま五月に存在する連休を、勝手に名付けたわけです。「土用の丑(うし)の日はウナギを食べる」というのと同じです。どちらも根拠はありません。しかしこうした記念日の設定は、習慣化という強い影響力を発揮することとなります。

いうなればギリシャの演劇における「機械仕掛けの神(デウス・エクス・マキナ)」の一種といえるでしょう。場が煮詰まってしまって、どうしようもないところに、習慣化という神の命令に等しい手段を導入するのです。

このように、論点の律法（習慣）的な解決を巧みに物語に織り込む作家は、何より登場人物と社会の関係を描く手腕に秀で、ときにその作品は『一九八四年』のように、特定の社会状況をあらわす代名詞ともなるのです。

四、論点の諧謔的な解決……ユーモアの効用。

最後は、諧謔です。

ユーモアある態度、はたまたジョークのような言動によって、論点を解決します。

全てを肯定し、常識をひっくり返し、徹底した逸脱によって、不可能と思われていたものごとを解決することをいいます。

たとえば、ノンフィクションをもとにした映画『運命を分けたザイル』（原作『死のクレバス』）に登場するジョー・シンプソンは、ザイルパートナーのサイモンとともに、下山中にクレバスに落下します。この際、サイモンがザイルを切らねばならなかったことがドラマチックに描かれますが、物語はそこから始まります。なんとザイルを失い、クレバスへと落ちていったジョーが、死は必定（ひつじょう）と思われたにもかかわらず、生きて帰る物語が始まるのです。

この物語も、明確な正反合で物語が構成されています。

命題は、当然ながら「生きて帰りたい」です。

反論は、「足が片方折れている上に、クレバスの底に落ち、ベースキャンプは十キロ以上も離れているので、とても生きて帰れそうにない」という実情です。

解決は、なんと「ゲームだと思って楽しもう」でした。

こうしてジョーは折れた足を引きずりながら、一つずつ目標を定め、あそこまで二十分以内に到達したら何ポイント獲得だ、という「ゲーム」を延々と続けることで生還したといいます。

これがユーモアの本当の力です。過酷な現実を肯定し、何か楽しいことをしているかのように思わせてしまうのです。

極限状態に陥ったときに、どんなメンタルの人間が最も生き残るでしょうか？　「まあ、たまにはこういうことだってあるさ、とりあえず楽しくやろう」と真っ先に現実を受け入れ、かつ楽しむ人間だそうです。

このように逆境にあってむしろ情熱を燃やし、楽観を決して失わず、過酷な現実に決して心折れない登場人物というのは、その存在自体がすでに解決であるといえます。

こうしたユーモアを鮮やかに示すことができる作家ほど、痛快無比の読書体験を与えることができるのです。


以上、四つの論点における解決をみてきました。いずれも解決の一例に過ぎず、世には様々な解決が存在します。

解決が素晴らしいものであろうと、最悪の結末であろうと、「逸脱」「反論」「解決」の旅路へと巧みに読者を連れ出すことができる作家は、物語の書き手として、その作家自身がやがては語り継がれることになるでしょう。

終章　課題を設定できる者は生き残る

「なんのためにＷＨＹ」書くかを知る者は、当然、どのように何をすべきかを思案し、計画し、実行に移します。

ここで思案すべきことは、二点しかありません。

ビジネス風にいうなら、マネジメントとイノベーションです。

⑮「何をＷＨＡＴ、どのようにしてＨＯＷ、いつＷＨＥＮ、どこでＷＨＥＲＥ、誰がＷＨＯ」書くのか——全てをマネジメントできる作家は生き残る。

作家は、個人事業主です。

原稿を執筆するということのほか、多くの業務をこなします。

事務、経理、営業、宣伝、制作、ときには自ら販売を行う作家もいます。

個人経営者として、業務の「方針、戦略、計画」を立てねば、場当たり的な仕事を延々と続けることになります。

業務を「増やす・減らす・入れ替える・分割する・合体させる」ことで精神的・肉体的・経済的リスクマネジメントをはかることも重要です。

さらに、健康的な生活スタイルを、年齢や状況に合わせてデザインしていくということもしなければなりません。

多くの作家が、人を雇ったり、外注することで、こうした業務の軽減をはかります。

ただし注意しなければならないのは、自分自身のコントロールをも外部に委ねるべきではない、ということです。誰かに命令してもらい、責任を預けることは、とても気分を楽にします。とりわけ何を書いても直接責任を持つ必要がないというのは、自由な気分にすらなるでしょう。しかしそうして楽になればなるほど、自分をコントロールしてくれる何かが支障をきたした時点で、作家として生き残れなくなる可能性が生じます。

マネジメントとはつまるところ自律の仕組みを作ることにほかなりません。これができる作家は、たいていのことがあっても生き残ります。

⑯ これからの作家のあり方——時代に適応し、かつ継承する者は生き残る。

作家は、職人であり経営者です。

場合によっては、提供する技能を変えたり、拡張したりすることも考えねばなりません。いわゆるイノベーションに対応するというやつです。

海外の作家は、日本人よりずっと多彩な活動を行っています。メディア事業を経営したり、映像作品に出資したり、プロデュースを手がける作家もいます。スクリプト・ドクターといって、誰かが書いた脚本をチェックして改善案を出すことを職業とする人もいます。スティーヴン・キングなどは自前のラジオ局を（赤字だが）持っているそうです。また『ハリー・ポッター』で一躍名を知らしめたJ・K・ローリングは、映画『ファンタスティック・ビースト』で、制作陣の一員として参加しています。

メディアがいっそう多彩になれば、従来の役割に従う必然性もなくなっていくでしょう。

結論から申し上げれば、もし今後、「作家」という肩書きが時代の推移によって別のものに変わるときも、それを受け入れて適応しつつ、かつてあった作家像を継承して次代に翻訳し、末永く残せる者が生き残ります。

時代の変化を受け入れるだけの者、変化を嫌って継承するだけの者、どちらも最終的には生き残ることができません。変化するだけでは行き詰まりますし、変化を拒めば忘れ去られます。なぜならどちらも、時間というものが生み出す価値観に逆らうからです。

人間が抱きうる全ての価値を認める者が生き残るのであり、その際、三つのことがらを守りさえすれば、生き残ることができます。

ゴールデンサークル、マネタイズ、ロー・コンプライアンスです。

まず、なんのために書くか。これはすでに冒頭でお話ししていますが、ゴールデンサークルの中心に常に「WHY」を据えること。あらゆる作品に必然性と説得力を持たせてくれます。

次に、収益化（マネタイズ）のすべを確保すること。ただお金を稼ぐということではありません。社会に参加し、その一端をしっかり担うということです。

そして、遵法（ロー・コンプライアンス）です。違法なものごとを避け、契約をおろそかにしない。権利を侵害するような違法行為や、一方的に不利益を押しつけるような契約を許さないということ。これはどんな人間にとっても生存の要(かなめ)です。業界の仕組みが変わりゆく昨今では、いよいよ毅然と振る舞うことが求められます。

これら三つのことがらを心がけさえすれば、何をやってもいいのが作家業です。

いっそう激変するであろう社会において、より自由に、先例にとらわれず、時代を超えて伝わる作品をものすべく、ぜひとも心ゆくまま執筆に励みましょう。

付録Ⅰ　作家になるために、やっておくべき八つの課題

ここでは講義などで受講生に出した課題をご紹介します。

いずれも文章技能を上達させるには避けては通れないものです。また、自分の得手不得手(えてふえ)を知ることは、将来、どのような作品に挑戦すべきかを推し量る重要な指針となります。

一、筆写しましょう

感銘を受けた作品があるなら、それを書き写しましょう。

筆写は技術向上の基礎です。スポーツでいえばランニングのように筆力の地固めとなります。どのような技能も、先達から学ぶにしくはなく、下手な考えは休むに似たりです。

二、人称を変えてみましょう

ある一人称の文章があるなら、それを三人称の文章に変えてみましょう。

逆もまたしかりです。

日本語には主語を省くという特徴があります。視点を示すのではなく、なんとなく気分を伝えることを優先しがちです。それでは筆力向上になりません。しっかりと視点が定まった文章が書けるようになるには、一人称と三人称の往復が効果的です。

三、自分自身の葬儀の弔辞を書いてみましょう

自分が世を去ったと想定し、自分自身に弔辞を献げてみましょう。

様々な弔辞の書き方を調べてみて頂きたいと思います。一人称、二人称、三人称の全てを駆使せねばならない、実は難易度の高い文章であることがわかるでしょう。これをすらすらと書けるならば、視点を定める技術がしっかり身についている証拠です。

また、自分への弔辞というものは、自分がどのような人間でありたいかを知る手段ともなります。ゴールデンサークルの中心に据えるべき「ＷＨＹ」を発見する一助となるでしょう。

四、モノに語らせましょう

あるモノの視点で、そのモノの機能や扱い方を語らせてみましょう。

電子レンジや冷蔵庫や愛用のペンなど、あたかもモノに人格がやどったかのように書く技術です。これもまた視点というものを意識させてくれると同時に、そのモノの立場にな

るという想像力を発揮しなければなりません。この課題を繰り返すことで、「わかりやすく説明する技術」が培（つちか）われます。

五、ある言葉を、その言葉を使わずに定義してみましょう

たとえば「雪」という言葉を一切用いず、「雪とはなんであるか」を定義して下さい。白いとか氷の結晶であるとか、社会的にはこうみなされている、地域によってはこう思われている、といった説明も、定義の一部となります。

これは、物語を書くうえで必須の技術です。登場人物が抱く思いや願い、できごとの意味、そこで語られる感情など、いずれも辞書などに載ってはおらず、書き手が新たに定義しなければならないことがらばかりです。

六、Ｑ＆Ａを書いてみましょう

あるものごとを説明する際、質問者と回答者にわけて、二人の会話を通して説明する技術です。小説のほとんどが、こうした会話によって物語が進みます。

また、会話の基本はＱ＆Ａであり、質問と回答が正しく対をなしているものほど、万人に理解しうるものとなります。テレビ番組の多くがこの形式を採用するのも、対話形式の哲学書や、対談本が多く作られるのも、最も確実に理解を促すことができるからです。

七、正反合を抽出してみましょう

世界のいたるところで、問題が起こり、その解決がなされる、ということが繰り返されています。それらの問題と解決を、命題（正）、反論（反）、解決（合）の三段落で説明してみましょう。

これができるようになると、登場人物の言動によりはっきりとした原理を与えられるとともに、周囲にいる人々の物語上の役割をしっかり定めることができるようになります。

八、「バイアス」を意識し、逸脱することを想像してみましょう

自分が暗黙の内に受け入れている様々なバイアスを意識し、それを逸脱するところを思い描きましょう。それが物語の開幕となり、心の中の自分をそれまでとは異なる世界へ導くことになります。

付録Ⅱ　例文集

ここでは、各項目のうち文章に関わる②から⑪の例を列挙したいと思います。

④「法則」を抽出できる者は生き残る、という項目でも言及していますが、様々な文章を読んだとき、なぜそれが巧みであるといえるのか、名文といえるのか、どういった点が優れているのか、はっきり見て取れるようにならねば、作家として生き残ることはできません。例から学ぶことで、やがて自分で抽出できるようになり、そして同様の文章を書けるようになるでしょう。

② 言葉が生まれた原初の理由――「発見を伝える力」を知る者は生き残る。

欧州ではローマのカプチンの納骨堂を見たり、パリのペール・ラシェーズ墓地を見たりして、ハテと思った。遺骨の扱いや墓のありようが日本とは感覚的に違う。骸骨(がいこつ)で部屋の飾りつけをしたりして、日本人から見れば、ずいぶん奇妙なことをする。理性的で明るいと決めていた世界が、それなりの陰影を帯びるようになった。その根元には、身体観の違いがあるはずである。いったい彼らは身体をどう思っているのだろうか。それが出発点となって、それならそもそも自分はどう思っているのかと、日本人の身体観を歴史的に調べることになってしまった。思えばもう三十年も前のことである。

（『骸骨巡礼』養老孟司　新潮社）

ハテと思ったことで、それまで見えていなかったもの、理解していなかったものの存在に気づきます。そしてそのことがきっかけとなり、次々に疑問と理解の連鎖が始まります。疑問がわいては理解するすべを求め、理解することでまた別の疑問が生じるのです。最初の疑問から、世界が違うものに見え、理解への道を歩み出す。発見という旅の始まりが、簡明かつ興味深く書かれています。

発見することと、発見を伝えることを、同時に学ぶことができる。それが養老先生の本の素晴らしいところです。

③　言葉が発展した最大の理由――「継承」する者は生き残る。

子どもにとって世界は、そして世界にあるすべてのものは驚きを呼びさます「新しいもの」です。おとなはそんな見方はしない。たいていのおとなは、世界を当たり前のこととして受け入れている。

だからこそ、哲学者たちはたいへん珍しい例外なのです。哲学者には、世界にすっかりなれっこになるなど、どうしてもできない。男でも女でも、哲学者にとって世界はいつまでたってもわけがわからない。そう、謎だらけで秘密めいている。哲学者と幼い子どもは、大切なところで似た者同士なわけです。哲学者は、一生幼い子どものままでいる例外人間と言えるでしょう。

（『ソフィーの世界　上』ヨースタイン・ゴルデル／須田朗監修・池田香代子訳　NHK出版）

この『ソフィーの世界』では、二つの大きな継承が書かれています。

一つは、哲学そのものです。どのような学問もそうですが、とりわけ哲学は継承を重視し、かつ常に新しく反論し続ける学問といえます。過去に存在した全ての哲学的考察が、次の時代の哲学的考察の手法となり対象となるのです。

また一つは、ソフィーという少女への伝授です。哲学的なものの見方が示されるだけでなく、ソフィーがいかにしてそれを受け止め、理解してゆくかが、物語として書かれています。
継承するとはどういうことかを学びたい方には、うってつけの作品と言えるでしょう。

④　言葉が文明の基礎となった理由──「法則」を抽出できる者は生き残る。

わあ！　雨が降ってきました。通行人はほとんど傘の下に隠れてしまいました。レインコートと、ときおりフードの後ろが見えるだけです。でも実際には、見えなくたっていいんです。いつも見ているうちに、外を通っているのがどの女のひとか、外見だけで見わけられるまでになっていますから。はちきれそうにジャガイモ肥りして、赤やグリーンのコートをまとい、踵のすりへった靴をはき、手さげ袋を小脇にかかえています。こわい顔も、やさしい顔もありますけど、どっちになるかは、たぶんご主人の気質によって決まるんでしょう。

（『アンネの日記』アンネ・フランク／深町眞理子訳　文春文庫）

ものごとにパターンを見出し、その向こう側にある原因をとらえようとする優れた眼差しで書かれた文章です。観察すること、書きつづることに文字通り命を尽くした文章として知られ、世界中で広く読まれているのも、ただ戦争の犠牲者が書いたものだからというわけではありません。彼女の文章が、法則を抽出し、伝えることに、とてつもなく優れているからです。

⑤　文章の性質――始まりと終わりをイメージできる者は生き残る。

「本気だよ、スティーブンス。ぜひ骨休めしてきたまえ。ガソリン代はぼくがもつよ。だいたいだね、年中こういう大きな家に閉じ籠(こも)って、ひとに仕えてばかりで、君らはせっかくのこの美しい国をいつ見て歩くんだい、自分の国なのにさ?」

ファラデイ様がそのような疑問を口にされたのは、これが初めてではありません。常々、不思議に思っておられたことのようです。脚立の上で同じ質問を投げかけられたこのとき、じつは、私の心には一つの答えらしきものが浮かんでおりました。それは、私どものような職業のものは、たしかに国の名所旧跡を見て歩くという意味では見聞が広いとはいえませんが、真に「国のありさま」を目のあたりにするという意味では、大方より恵まれているのではないか、ということです。なにしろ、私どものいる場所こそ、イギリスで最も重きをなす紳士淑女のお集まりになる場所なのですから。もちろん、こうした見解をファラディ様にご説明するには、生意気ともとられかねない長広舌を振るわねばなりません。そこで、私はこう申し上げるにとどめました。

「失礼ながら、ご主人様、私はこのお屋敷でお仕えした長い歳月の間に、いながらにして最良のイギリスを見る機会に恵まれまして、ありがたいことだと存じております」

（『日の名残り』カズオ・イシグロ／土屋政雄訳　早川書房）


この『日の名残り』では、様々な始まりと終わりが書かれ、交錯します。主人公の思わぬ旅が始まるとともに、それまでの長い年月のうちに起こった様々なことが回想され、そしてイギリスという国の歴史へとつながっていきます。主人公の旅の道行き、その個人史、そして世界史が、どのように始まり、そして終わっていったかが感動的に書きつづられ、世界中にカズオ・イシグロの名を轟かせました。

⑥　文章の構造――順序をイメージできる者は生き残る。

ここでは文章の順序による伏線の張り方の具体例を紹介します。

まず、題材はテレビドラマ『CSIマイアミ』第一話です。この作品にちりばめられた伏線を、時間軸に沿って一つの文章に戻してみましょう。

こちらが、事件の根幹です。

「経営粉飾の内部告発文書を用意した」「抗うつ剤を飲んでいた」「女性が、墜落して死んだ」「理由は、内部告発を阻止したい経営者の男性に」「飛行機内にて消火器で襲われ」「追い詰められてドアを開いてしまった」「ことで地上に落ちた」「からであり、そのとき女性の靴が脱げて」「それを吸い込んだエンジンが炎上し」「機体がばらばらになり」「弾け飛んだリベットが」「パイロットの体を貫通し、銃撃されたように見える状態で死に」「飛行機は墜落したが」「経営者の男性は生存し」「うつ病を患う女性が急におかしくなった、自分は席に座っていたと証言したが」「シートベルトの擦過痕がないことから疑われ」「消火器に経営者の男性の指紋があったことから凶器と断定され」「逮捕に向かったところ経営者は自殺した」「のち、女性が郵送した告発文書が発見された」

いちいち「」で言葉をくくっているのは、それらがバラバラの順番で視聴者に示されるからです。また、この事件に関わるできごとが二つあります。

「女性のスーツケースが空」「だったのは、文書をすでに郵送していたから」「飛行機の墜落現場にいた釣り人は」「猟銃をボートに持ち込む密猟者で」「墜落した飛行機のブラックボックスが金になると思い」「密漁したワニの生け簀に隠した」

このように、一連のできごとを一つの文章としてとらえ、それをバラバラにしてちりばめることが、伏線を配置する、最も簡便な方法です。

どの順番でもよく、最後までわからない部分がなんであるかで、作品の印象を変えることができます。

この作品では、死んだ女性が疑われてのちその潔白が証明され、その告発の勇気が称えられる一方、経営者の男性の不当さが暴露されて死に至ります。

可哀想な女性がさらに死後も貶められますが、その名誉が回復し、逆に生き残ろうとした悪人が追い詰められることで、証拠を見出した人々を視聴者が頼もしく思えるよう、構成されているのです。

また、当然ながら、できごとの時系列がはっきりしていればいるほど、バラバラにして伏線にしやすいものとなります。

参考までに、この作品の「証拠、推測、捜査、証拠同士の結びつき、結果」を一覧化したものがこちらです。

証拠	推測	捜査	結びつき	結果
1）墜落した飛行機・ばらばらの機体1	原因不明	行方不明のブラックボックス探す	証拠3）	発見者がブラックボックス発見・隠匿していた
2）パイロットの死体に銃創	射殺された	弾丸探す・弾痕の比較	証拠1）	弾丸ではなく弾け飛んだリベットだった・射殺ではなかった
3）発見者の船にライフル	密猟の疑い	墜落の証言聴取	証拠1）	ブラックボックス発見・隠匿していた
4）機体のシートベルト	外れていたのでは	生存者の擦過痕の有無を調べる	証拠1)7)10)	「座っていた」は嘘
5）空（から）の鞄とイニシャル	女性のものでは	女性のイニシャルと合致・母親に尋ねる・中身を探す	証拠6）〜17）	中身は内部告発文書・郵送されていた
6）生存者の証言1　墜落は女性がドアを開いた	真偽不明	機体の捜査・女性の生活調査・会社の経営状況を調べる	証拠13）	経営粉飾・偽証判明　生存者が自殺する
7）生存者の証言2　自分は座っていた	真偽不明	機体の捜査・女性の生活調査・会社の経営状況を調べる	証拠4）	経営粉飾・偽証判明　生存者が自殺する
8）生存者の証言3　銃声はなかった	真偽不明	機体の捜査・女性の生活調査・会社の経営状況を調べる	証拠2）	弾丸ではなく弾け飛んだリベットだった・射殺ではなかった
9）女性の検屍・アルコールと抗鬱剤	自殺の可能性もある	女性の生活調査・何を食べ夜は眠れていたか生活探る・母親に尋ねる	証拠13）	
10）女性の検屍・手の甲に円形の傷跡	原因不明		証拠17）	生存者に消火器で殴られた・ドアから落ちないようこらえていた

証拠	推測	捜査	結びつき	結果
11）女性の靴	高級品・経営者の愛人だった可能性	女性の生活調査・何を食べ夜は眠れていたか生活探る・母親に尋ねる	証拠15）	ミスリード　内部告発者だった
12）女性の毛髪分析・薬物大量摂取の証拠	自殺の可能性	女性の生活調査・何を食べ夜は眠れていたか生活探る・母親に尋ねる	証拠17）	
13）女性の自宅	自殺の可能性	女性の生活調査・何を食べ夜は眠れていたか生活探る・母親に尋ねる	証拠17）	女性に自殺の兆候なし
14）機体のドアの指紋	様々な仮説	状況の再現	証拠17）	女性はつかまっていた・落ちないように
15）ブラックボックス	女性が原因・銃撃	エンジン異常・悲鳴・銃声なし	証拠1）～14）	偽証判明・再調査
16）焼けたエンジン	なぜか爆発した	墜落原因調べる	証拠11）18）	女性の靴がエンジンに飛び込んだ
17）墜落した飛行機・ばらばらの機体2	何かが足らない	不足物探す	証拠13）14）	消火器が足らない
18）消火器	証拠10）と一致	証拠10）と一致・生存者の指紋	証拠10）	消火器が凶器・生存者が女性を飛行機から落とし、女性の靴が墜落の原因となった

さて、伏線といえば犯罪もの、ミステリー、と強く連想させられるかもしれませんが、もちろん他のジャンルでも大いに活用されます。

なかでも伏線といえばこれ、というのが『ハリー・ポッター』シリーズです。作者のJ・K・ローリングは、驚異的におびただしい数の伏線を張る書き手で、おそらくあまり深く考えていなかったであろうフレーズにも、シリーズを通して別のフレーズをつけ加えていくことで、長大な伏線にしてしまう名手です。当然ながら前日譚『ファンタスティック・ビースト』でもその手腕が発揮されています。

ここでは、『ハリー・ポッターと賢者の石』でみられる主な伏線を見てみましょう。

この作品を読んでおらず、ネタバレを望まないという方は、一読してからこの先をお読み下さい。

先の題材同様、「」でくくられている部分が、バラバラに読者に示されます。

「ハグリッドは、ダンブルドアから、幼いハリーを叔父・叔母に引き取らせるようにと言われた」が、「鉢合わせたブラック家のシリウスから、彼がハリーを預かると言われた」が、「ダンブルドアの言いつけを守る」ことにし、「ブラック家のシリウスにオートバイを借りて幼いハリーを叔父・叔母のもとへ連れて行った」

このようにシリーズをまたいだ伏線も、様々にちりばめられています。

「ハリーは蛇と会話ができる」「ことから、闇の魔法使いと疑われるが」「のち蛇と会話する能力はなくなる」

「ハグリッドはドラゴンがほしい」「と願って実際に飼おうとしたが手に負えずドラゴン研究者が逃がす」「ところを密告された」「ことでフィルチに捕まる」


一つのことがらが、別のことがらと関係があることが明かされてゆきながら、物語も進んで行く巧みさが、シリーズの魅力ともなっているのです。

お手玉の数をどれだけ増やせるかに挑戦しているようなもので、世界と人物の魅力を紹介し、物語を進行させながら、そのほとんどの要素を伏線化しているといえます。

さて、中でも重要な、ハリーの生い立ちを見てみましょう。


「ハリーの両親は魔法使いで、闇の魔法使いヴォルデモートに殺された」「とき、ハリーも殺されそうになるが」「母の血の守りで生き延び」「逆にヴォルデモートは肉体を失って逃げた」ことから、「生き残った男の子としてハリーの名が知れ渡り」「大勢が育てたがる」「だがハリーの血の守りは血縁者のもとで強化されることから」「ダンブルドアは」「幼いハリーを普通の人間として暮らす叔父と」「姉が魔法使いであることを隠した い叔母に」「引き取らせてヴォルデモートから守らせてのち」「成長したハリーを魔法使 いの学校に招く」

こうして一つの文章として整理されるできごとが、第一作だけでなくシリーズをまたいでちりばめられているわけです。

同様に第一作のハリーたちの行動も、綿密に伏線化されています。

「ハリーとロンとハーマイオニーはニコラス・フラメルがダンブルドアの友人で錬金術師で共同研究者であり、彼だけが賢者の石を持つと知り、その賢者の石が禁じられた廊下に隠されていると考える」「一方で、クィレルは頭の後ろにヴォルデモートを憑依させて、ヴォルデモート復活のため賢者の石を狙っていた」ことから、「ダンブルドアやスネイプに見抜かれないようごまかしていた」が、「スネイプから疑われて厳しく追及される」「ところを目撃したハリーは」「自分を目のかたきにするスネイプが」「実はハリーの両親とともに魔法を学び」「ハリーの母親のことを思って」「ダンブルドアとともに」「ハリーを守ろうとしていたことを知らず」「クィディッチの試合でスネイプがハリーを落とそうとしたと思い込んでいることもあり」「スネイプが賢者の石を狙っていると考え」

「さらにケンタウルスからヴォルデモートが賢者の石で復活しようとしていると教えられたハリーは、ダンブルドアが不在となる夜、スネイプが賢者の石を盗むと思って防ごうとする」が、「盗もうとしていたのはクィレルで」「それはヴォルデモート復活のためで」あったが、「ハリーの母の血の守りによって」「クィレルはハリーの体に触れただけで死に、ヴォルデモートは再び体を失って逃げる」

伏線を元通り一直線に並べ直すことで、いかにバラバラに配置されていたかがわかるでしょう。ハリーの両親、ダンブルドア、スネイプ、クィレル、ヴォルデモートたちの行動とその理由が、ハリーの行動を通して、断片的に、徐々に明らかになるのです。

文章の順序を巧みに操作することで、いつ文章が完成するのか、完成したときどのような意味が浮かび上がってくるのか、読者の興味を刺激し続ける。

それが、伏線の力です。

⑦　文章の工夫――五つのルール、「増やす・減らす・入れ替え・統合・分割」を自在に駆使できる者は生き残る。

ここでは恐縮ですが自作の『マルドゥック・スクランブル』（早川書房）の冒頭を二パターン紹介します。初めて出版してから何年も経ってのち、新装改訂版を出す際、大幅に加筆修正をしたもので、推敲の一例として御覧頂ければと思います。

□修正前

1

「死んだほうがいい」

少女は、ほとんど声にもならない声で、そう囁いた。

隣にいる男に聞かせる気もない、本音でも何でもない言葉のノイズだった。

車のドアウィンドウの外を流れるマルドゥック市（シティ）の歓楽街のきらめきから、何となく聞こえてくる気がするノイズ。

それを囁くと少しばかり気が晴れる、ジャズが歌う呪文（モージョー）のようなものだ。

今、少女が乗っているのは、宙を飛ぶ重量四トンの黒い宝石——重力素子式（グラビティ・デバイス）のエンジンが車体を音もなく宙に浮かばせる超高級エアカーであった。ドアウィンドウは全て、外から中が見えないマジックミラー式で、警官殺し(ハンター)と言われるそのウィンドウの使用には市の許可が必要だった。もちろん、この都市で相応の地位がなければ、許可は下りない。

□修正後

彼女は愛おしむすべを持たない子供だった。
自分を取り巻く悪運や、
卑しい苦痛と和解したがっていた。
そのためになけなしの幸運を差し出したが、
与えられたのは、狂った炎だけだった。
炎は彼女を制圧し、またたく間に奪い去った。
命以外のなにもかもを。
燃え果てた後の塵と区別がつかぬほど、
最後に残されたものにも価値はなかった。
まだそのときは。

1

「死んだほうがいい」

　ほとんど声にもならない、吐息のようなささやきがこぼれ出した。

　ささやいたあとで、少女はその言葉の意味を考えようとしたが、考え続けるには努力が必要だった。あまりに慣れきった感じがするせいで。

　無意識のひとりごとは、それほど多いほうではない。少なくとも少女自身はそう思っている。たまに脳裏で歌のようなものが聞こえることはあるが、それだって病気というほどではなかった。歌を止めたくて血が出るほど頭をかきむしるなんてことはないからだ。

　以前一緒に働いていた女の子たちの中には四六時中、喋り続けているような子がいた。相手がいてもいなくても同じ調子で喋るのだ。そういう子は、自分が何を口にしたかなんてろくに覚えていない。むしろ覚えていないことに安心するのだ。その子が手に入れると告げたあれこれについて、その後どうなったかと尋ねても睨み返されるだけだった。

　だが少女にとって口にしたことは覚えていて当然だったし、言葉の意味を考えることで安心を感じた。このときも大して意味のあるささやきではないのだと、すぐにわかった。それはただの言葉にすぎなかった。


（『マルドゥック・スクランブル The 1st Compression――圧縮〔完全版〕』冲方丁　早川書房）

まず大きな加筆として、序文を用意して主題を示し、ページを開いたばかりの読者に今後を予感させ、期待を抱いてもらおうとしています。

さらに主人公を表現するために、別の少女を例として示しています。人物Aを書く際、その特色を強調するため、まったく違う人物Bを対比させる手法です。

また、ささやき、喋る、というキーワードを強調することで、このあと少女が声を失うことへの予兆を強化しています。

このように全三巻を書き直し、シーンの順番を入れ替えるといったことをしています。

⑧ 五感の性質――モノと空間を同時に描写できる者は生き残る。

古いコンクリート橋で川を渡り何マイルか進むと道に面してガソリンスタンドがあった。二人は路上で立ちどまり様子をうかがった。これは調べてみないとな、と彼はいった。ちょっと見てみよう。二人が歩いていく足もとで雑草は崩れて埃となった。荒れたアスファルトの敷地を横切り地下タンクの注油口を見つけた。彼は伏せて両肘をつき蓋がなくなっている注油口の臭いを嗅いだがガソリンの匂いはごくわずかで気が抜けていた。立ち上がって建物を見やった。奇妙にきちんとホースを所定の場所におさめて並ぶ計量器。無傷の窓ガラス。サービスルームのドアが開いているので中に入った。一つの壁にはスチール製の工具棚が作りつけてあった。引き出しを全部開けてみたが欲しいものはなにもなかった。まだ使える半インチのドライブソケットが数個。ラチェットが一つ。自動車修理場の中を見回した。がらくたでいっぱいのドラム缶が一つ。彼は事務所へ入った。そこらじゅう埃と灰だらけだった。少年は戸口で待った。スチール製の机が一つ、レジスターが一台。水を吸ってぶわぶわに膨れた自動車修理の古いマニュアルが数冊。雨漏りする天井のリノリウムは染みだらけでめくれている。彼は机のそばへ行って足をとめた。電話の受話器をとって自分が子供のころ住んでいた家の番号をダイヤルした。少年がじっと見ていた。なにしてるの？

（『ザ・ロード』コーマック・マッカーシー／黒原敏行訳　早川書房）

この作品では、滅びに瀕した世界で生き残った父子が、行く先々で五感を駆使してどうにかして生存するすべを得ようとしながら旅を続けます。

描写されるモノと空間の全てが文明の喪失をあらわし、ひたすらに父子の生存を否定しにかかります。崩れて埃となってしまう雑草。生活に必要なものは何一つなく、父親は電話を懐かしみますが、少年のほうは、もはやその行動の意味が理解できず、電話という道具がなんのためにあるかわからないようです。

これほど荒涼とした世界の描写の例は、なかなかありません。とてつもないモノと空間の描写が、全篇を通じて読者にも襲いかかるようです。

⑨　人物の性質――感情と肉体を同時に描写できる者は生き残る。

透きとおるように白い面長の顔へ、微かに血がのぼっている伊太郎であった。

編笠をかぶっているときの伊太郎は、むしろ、うつ向きかげんに歩む。

ところが笠をぬぐと、しだいに面をあげ、道行く人々をながめまわすようにして歩くのである。

ことに伊太郎は、行きずりの女たちの眼が、自分の顔にそそがれたときの一瞬を、無意識のうちに待ち構えている。

伊太郎の美貌を、単に、

(まあ……きれいなおさむらいさま……)

と、見る女たちのほうが多い。

だが、その中に、なんともいえぬ嫌悪の色を浮かべる女が、たまさかにはいる。伊太郎が見返すと、そうした女たちの眼の色が今度は嫌悪から恐怖に変り、顔をそむけるように、急いで伊太郎から遠ざかって行くのであった。

日によって、このごろの金子伊太郎は、そうした女に出合うのを待ちのぞんでいるようなところがある。

そうした女たちは、伊太郎の過去と、何人もの女の陰所を切り抉った血の匂いを嗅ぎつけてしまうのであろうか……。

感能の冴えた女ほど、それとはわからぬながらも、伊太郎の全身からただようものに、はっと嫌悪感をおぼえ、見返してくる男の眼光に恐怖を感じるにちがいない。

そのときどきの程合いと、こちらの気合しだいで、金子伊太郎の五体が復讐のよろこびに、むしろ戦慄することがある。

（女め!!）

むらむらと殺気がふきあがり、その場で斬殺することもあれば、後をつけて行き、人気の絶えた場所で、先ず当身をくらわせ、木立や墓地の中へ引きずりこみ、女の下半身を刀の切先ではねひろげ、一気に陰所を抉る。

露呈された女の下腹の黒い茂みが瞳孔へ飛び込んできて、それを目がけて刀を突き入れるとき、金子伊太郎の五体は、たとえようもない激烈な快感に突きつらぬかれるのだ。

（『剣客商売　白い鬼』池波正太郎　新潮社）

すさまじい感情が、いずれも肉体と結びつけられて描写されていることがわかるでしょう。

笠をかぶってうつむくのは、自分が追われる身であると自覚しているからですが、それでも我慢できずに笠を脱いで、顔をさらし、自分に嫌悪を示す女を見つけたくなってしまう異常さが、克明に描写されています。

理性では自分を不利にしてしまうとわかるのに、五体からわきおこる強い感情に逆らえず、表情や仕草、行動に出てしまう。そうした描写を通して、人物の本性を浮かび上がらせる。それが人物描写です。

とりわけ池波正太郎作品は、肉体の感覚だけでなく、それを支える衣食住を通して、短い紙数でその人の本性や人生までもが浮かび上がるという、とてつもない描写の力を発揮しています。

⑩　時間の性質――さらに時間を同時に描写できる者は生き残る。

ばかげた空想だ。二十年前のブルーベリー用のバケツを探す大遠征。バケツは森の奥深

くに投げ捨てられたか、画一住宅（トラクト・ハウス）のために半エーカーもの土地を平らにならしたブルドーザーに押しつぶされてしまったか、丈高く生い茂った雑草やイバラに深くおおわれて見えなくなっているか。だがわたしは、バケツがまだそこに、廃止になった古いGS&WM鉄道の線路のわきのどこかに、あると確信しているし、ときどき、矢も盾もたまらず、探しに行きたい衝動に駆られる。それはつねに、早朝で、妻がシャワーをあび、子どもたちがボストンから送られてくる38チャンネルの『バットマン』や、マンガの『スクービィ・ドゥー』を観ているときに襲ってきて、わたしはかつて地球を股にかけて、歩き、話し、ときには爬虫類のように腹で這いずりまわった、前青年期のゴードン・ラチャンスに、いちばん近い気分になるのだ。あの少年はわたしだ、と思う。そしてあるひとつの思いが、まるで冷たい水の奔流のように、わたしをこごえさせる。〝どの少年のことだ？〟と。

（『スタンド・バイ・ミー』スティーヴン・キング／山田順子訳　新潮文庫）

過去と現在がいかに隔たってしまったかを、これでもかというほどの数々の比喩で書き連ねています。半エーカーもの土地を平らにならすのに要する時間、丈高く雑草が生い茂るまでにかかる時間、鉄道というものが廃止になってしまうほどの時間。どれほど長い時間であっても、止めることは決してできず、結局は何もかもがあっという間に過ぎ去ってしまったわけです。

ある死んだ少年が持っていたはずのバケツのイメージが、過去を掘り返そうとする思いの中核をなしている一方で、そうすることに価値や意味が本当にあるのかと恐怖すら覚えながら自問しています。

スティーヴン・キング作品は、物理的な速さ・早さを驚嘆すべき多彩さで表現するとともに、時を超えるシーン展開を緻密にやってのけます。たとえば『ＩＴ』では七人分もの過去と現在が次々に切り替わる、という離れ業を披露しています。

また『スタンド・バイ・ミー』は「恐怖の四季」と題する連作のうち「秋」に位置づけられているなど、巡りゆく季節というものを巧みにモチーフとして用いています。

時間の描写を学ぶ上で、スティーヴン・キングの本は、どれも素晴らしい教科書になるでしょう。

⑪　価値の性質——さらに価値を同時に描写できる者は生き残る。

金の点では慶次郎は鷹揚そのものだった。例の金塊を収めた鞍袋は捨丸に預けっ放しで、湯水のように使った。

（このお方は金を仇のように使う）

捨丸はひそかにそう思ったが、この印象は正確だった。慶次郎は何が何でも、一刻も早くこの金を使い切ってしまいたかったのである。この金をくれた奥村助右衛門に対する一種のすまなさが、そうさせるのだった。利家を水風呂に入れたのはまだいい。だが七里半越えの峠道で、七人の加賀忍びを殺したのが、どうにも気にさわるのである。殺人は捨丸の仕業だったが、加賀の者は誰もそうは思うまい。慶次郎がやったと思い込んでいるに相違なかった。自分が下手人にされることは少しも構わない。ただそのしらせを聞いた時の奥村助右衛門の気持ちだけが気懸りだった。さぞかし暗澹として嘆いているだろうと思うと、すまなさが痛みのように全身を走るのだった。せめて助右衛門のくれた金を無茶苦茶に使いまくって、一刻でも早く文無しの身になることが、詫びのしるしのような気がした。誠に奇妙な論理だが、慶次郎の心はそれでどうにか平衡が保てるのである。

（『一夢庵風流記』隆慶一郎　新潮文庫）

非常に突拍子のない考えを、ここまで切実に抱くのは、自分が本来備えていた価値に危機が訪れているからです。

主人公の倫理観、美意識、自己イメージ、永続するはずだった他者への思いといったものが、このままでは損なわれてしまう。その事実が痛みのように全身を走る。だから、その価値を復興するため、詫びとして散財する。

そういう思考をするのがこの主人公であるという人物描写にもなっており、異常ではなく、むしろ痛快なものとして見せています。

また、隆慶一郎作品は、私たちがなんとなく日頃信じている価値を、このように思い切りひっくり返してしまう描写にきわめて優れており、大いに学ぶことができます。

付録Ⅲ　自己マネジメント例

作家業をどのように営むか？　これは千差万別ですが、ここでは私個人の例を紹介します。

私の場合、何をするにしても、最初に課題の設定があります。

新人の頃は、「知識・技術・感性」を順繰りに培い、小説というものを「主題・世界・人物・物語・文体」の五つの要素に分解してこれまた順番に培うことが課題でした。

また、小説のジャンルを一つずつこなすこと、小説以外のメディアを一つずつ経験していくことも目標として立てました。

そうして研鑽に励むなか、「原稿用紙五枚半で泣ける話を書き続ける」「五十人以上の登場人物を書き分けられるようにする」といった課題を、そのつど設定し、こなすということを繰り返しました。

次に、課題をどうこなすかということ自体も、課題としてとらえていきました。

いかにして、より短い時間で、より大きな成果を出せるか、という課題です。

私はこれを、「速度・角度・強度・深度」の課題ととらえました。

速度は当然、執筆速度です。とにかく速く書けるに越したことはない。そのために作業工程を常に振り返り、効率が悪いところはないかチェックし、より効率が良い方法へとレベルアップさせていくことが重要です。

しかし速度に傾倒すると、自分にとって書きやすいものばかり書きかねません。それを防ぐには、視点の角度を常に変える必要があります。

自分にはよくわからないもの、不向きだと思っていたもの、それまで発想できなかったものへ、しっかりと意識を向け、自分をアップデートするのです。しかしそれでかえって混乱して書けなくなっては仕方ないので、その最適なリズムを探します。

そうして出来上がったものが、あっという間に消費されて忘れ去られてしまっては、費用対効果が悪すぎます。作品の価値がすぐに消失してしまわないよう、複雑にしたり、多層的にしたりして、読者が簡単に理解しきってしまうものにはせず、強度を保つ工夫にも時間を割かねばなりません。

さらに、深度を向上させる必要もあります。読者が深く没入し、なかなかそこから出てこられないよう工夫するのです。ご時世によって、どこまでも長続きする感情、観念、モチーフは異なってゆきますから、調べて研究する時間も必要です。

こうして課題が出そろったのちは、スケジュール作りが全てを左右します。

まず問題は、順序です。何をどれからやるかを決めねばなりません。

それから、〆切です。いつまでにやるかを決めます。また、〆切までに終わらなかった場合の調整方法もあらかじめスケジュールに組み込んでおかねば、ふとしたことで崩壊してモチベーションを失ってしまいます。

このスケジュール作りは今なお試行錯誤しており、ツールもかなりのものを試してきました。手帳だけでも何十冊買って試したかわかりません。

今では、主に三つのツールを使っています。

ホワイトボード、グーグルのスプレッドシート、ポストイットです。

まずホワイトボードに、今進行している作品のタイトル、〆切日、刊行予定などを列挙しておきます。

次にグーグルのスプレッドシートで、一日単位でスケジュールを組んでゆき、何日間で何を終わらせるかを決めつつ、終わらなかった場合の調整日を設定します。

そして、朝起きたら、あるいは夜眠る前に、スプレッドシートを確認して、一日で終わらせるべきことを、ポストイットに列挙して書いてパソコンに貼っておきます。

すべきことが終わればポストイットは廃棄されますが、実際にできたかどうか、スプレッドシートに入力します。

また、何時に目が覚めたか、何時に寝たか、体調はどうであったか、執筆は快調であったかなどを、スプレッドシートのセルを塗りつぶしツールで色分けします。

例として、過去のある一カ月のシートを御覧下さい。左にやるべきこと「DO」、右にやれたこと「DONE」の欄を作ることで作業の進捗がわかるようにしています。

16	18	20	22	24	DONE
		TRNG			ムーンアイディア
					ム
	風呂掃除		TRNG		
ムーン		name			月31ゲ、諸メ、ムプロ出、name
		name			講義 note7,8
		name	TRNG		アノプロ
					アノプロ
15半MTG		18MTG			アノプロ、ムMTG
					アノ7巻プロ出
14雅叙園取材					
				TRNG	講演原稿出
			RUN		
		飲		RUN	講義 note9
RUN		18半MTG			
14インタIG					
		RUN	RUN		
		RUN		飲	アノ7～9巻プロ出
	RUN				
	徳島前泊				
講演			TRNG		講演
		TRNG			
15画報社					
		19MTG			
			TRNG		アノ33／34出

		〆	DO	2	4	6	8	10	12	14
2020/9/1	火		ムーン						株、ムーン	
2020/9/2	水		ムーン							
2020/9/3	木		ムーン				7起			
2020/9/4	金		ムーン					9起		メール
2020/9/5	土		ムーン						idea	note
2020/9/6	日		ムーン					9半起		
2020/9/7	月		ムーン、講演準備						11半起	
2020/9/8	火		ムーン							
2020/9/9	水		ムーン						TRNG	アノ
2020/9/10	木		ムーン					9半	経理	
2020/9/11	金		ムーン				7起			
2020/9/12	土		ムーン					10起		12半MT
2020/9/13	日		ムーン		3寝				11起	
2020/9/14	月		ム下書		2時40寝			10起	note	
2020/9/15	火		アノ					10起		
2020/9/16	水		アノ					10起		
2020/9/17	木		アノ	鯨飲				10起		
2020/9/18	金		アノ				8起二度寝10起			
2020/9/19	土		アノ							
2020/9/20	日		アノ					10前起		
2020/9/21	月		講演					10起		
2020/9/22	火		講演					10起		13 徳島
2020/9/23	水		アノ						11起	
2020/9/24	木		アノ					10起		
2020/9/25	金		アノ				7半起			
2020/9/26	土		アノ					10半起		
2020/9/27	日		彼岸花見学					9半起		
2020/9/28	月	支払	アノ					10起		
2020/9/29	火		アノ					9半起		
2020/9/30	水	月と日	アノ					9半起		

睡眠、執筆、運動（ＴＲＮＧやＲＵＮ）、ミーティングや講演、取材、資料閲覧、雑務、家事、飲酒した時間帯、体調のよしあしなどを、色や文字や数字で記録していくわけです。

こうすることで、作ったスケジュールが無理のないものであったか、自分のバイオリズムと合っているか、より効率の良い作業計画はどのようなものか、検討することができます。

また、一年を通しての執筆枚数や活動も、今後の参考のために洗い出します。

その具体例が、こちらの二〇一八年の年間作業統計です。

月と日	短編他	寄稿	塾	原稿枚数
20	80			255
20	20			165
20	5			240
20				225
20				235
20	5			160
20				305
20				75
20	40			195
60	30			210
		20		190
			講義案	90
240	180			2345

月間 スケジュール	ファフ	コパス	麒麟児	なごみ	アノニ	剣樹抄	アクティ	ムーン
18-Jan	改稿	概案	80	5		70	梗概	概案
2	改稿	概案	80	5			40	概案
3		概案	80	5	80		50	概案
4		概案	80	5		70	50	概案
5	改稿	概案	80	5	80		50	概案
6		概案	80	5			50	概案
7		概案	80	5	80	70	50	概案
8		概案	改稿	5			50	概案
9		概案	改稿	5	80		50	概案
18-Oct		概案	改稿			70	50	概案
18-Nov		改稿	ゲラ		40		50	80
18-Dec		改稿			40		50	
					400	280	540	80

一年間の仕事を振り返って整理したもので、数字は執筆した原稿の枚数です。連載は七本、アニメのシリーズ構成は二本。

年間の総執筆枚数は二千三百四十五枚。月間の執筆枚数の平均は百九十五枚。一日平均六・五枚。（下書きや改稿やゲラの朱入れは除く）

年間総収入は六千万円強、翌年の納税額は千五百万円弱。

他、体調を崩した日はどの月が多いか……など様々な数字を残しておくことで、年間スケジュールを今後どうしてゆくか、という判断材料にしていきます。

スケジュール作りとは、常に新たな地図を作りながら、過去の地図を確かめ続けるようなものです。過去の記録を頼りに、未来の予定を決め、現在の状況に従って地道に調整を繰り返してゆくしかありません。

これが上手くやれるようになると、常に全体の作業を把握しながら、より多くの企画を同時にこなし、かつ課題をバージョンアップしていけるようになります。

さらにこのスケジュール作りと見直しは、モチベーションのコントロールにもなっています。人間はこうして日時と行動を定めるだけでも、いちいち考えたり悩んだり面倒くさがってエネルギーを浪費せずに済む分、やるべきことへのやる気が出るのです。

あとがき

　このたび文筆の指南本めいた本書を執筆することとなった経緯の前に、実はすでに初心者向けとして『ストーリー創作術』（宝島社。のち『ライトノベルの書き方講座』に改題された）といった本を出しており、具体的なアイディアの出し方や、プロットの組み立て方を紹介しております。

　読者からご愛顧を受け、続篇が出たり、タイトルを変えて出し直しされたりと、いまだにそこはかとなく売れ続けているため、新たに創作術について書くことはなかろうと思っていました。

　しかしあるとき、「冲方塾」という新人発掘企画が実施され、副賞は「冲方丁の創作講座を無料で受けられる」という設定がなされたのです。

　講座を開かねばならなくなった私は、最終的に税理士からデパートの担当者を紹介してもらい、カルチャースクールの一角で、全十二回の講座を半年かけて開催することになりました。

まったく利益にはなりませんでしたが、人に教えるという経験が、自身の創作技術を意識させ、磨きをかける端緒となったことには感謝しかありません。

その後、当然のように講座の内容を書籍に、という話が持ち上がったものの、直接対面してのやり取りは膨大の一語で、とても一冊に収めることはできませんでした。

よって、講座録のほうはnoteで一部のみ有料として公開しております。

こちらが、そのアドレスです。

https://note.com/towubukata/m/mc5604fc39ea0
本書は、ここで公開された講座録を全面的に再構成し、一冊の本にするとともに、講座を経て得ることができた、新たな視点で語り直したものとなります。


また本書を書き下ろす際、テーマとして設定されたのが、「生き残る」ということ。

思えば、それこそ私の長年の命題でした。「お前のような作家が生き残れるわけがない」という数々の反論をひたすら乗り越えながら今に至った、という実感があるのです。

こうしてデビューから二十五年を経た今、次の二十五年も作家として生き抜くには、何が必要なのか？　これまでの経験をあらかた見つめ直すことで、いくつかの答えは明らかになったと思います。

もちろん、全ての答えを出すには、今後もますます執筆に邁進せねばなりません。

どうか、一人でも多くの書き手志望の方が、自ら「作家として生き残る」すべを見出し、来たるべき新たな世に躍り出て、そこで生み出される作品が末永く伝えられることを願ってやみません。

本書は書き下ろしです。

生き残る作家、生き残れない作家
冲方塾・創作講座

二〇二一年四月二十日　印刷
二〇二一年四月二十五日　発行

著者　冲方丁
発行者　早川浩
発行所　株式会社早川書房
郵便番号　一〇一 - 〇〇四六
東京都千代田区神田多町二ノ二
電話　〇三 - 三二五二 - 三一一一
振替　〇〇一六〇 - 三 - 四七七九九
https://www.hayakawa-online.co.jp
定価はカバーに表示してあります

印刷・製本／中央精版印刷株式会社
ISBN978-4-15-209940-2 C0095

マルドゥック・スクランブル〔完全版〕（全3巻）

冲方　丁

The 1st Compression——圧縮
The 2nd Combustion——燃焼
The 3rd Exhaust——排気

〔日本SF大賞受賞作〕賭博師シェルにより爆殺されかけた少女娼婦バロット。彼女を救ったのは、委任事件担当官にして万能兵器のネズミ、ウフコックだった。法的に禁止された科学技術の使用が許可されるスクランブル－09。この緊急法令で蘇ったバロットはシェルの犯罪を追うが、眼前にかつてウフコックを濫用し殺戮のかぎりを尽くした男・ボイルドが立ち塞がる。代表作の完全改稿版、始動

ハヤカワ文庫

マルドゥック・ストーリーズ

冲方 丁／早川書房編集部・編

冲方丁作品の二次創作による新人賞「冲方塾」。その小説部門に応募されたマルドゥック・シリーズを題材とした短篇の中から、優秀作品を精選――ボイルドの誤爆を目撃した男の物語、疑似重力の謎に挑む二人の刑事、クルツとオセロットの日常などマルドゥック・シリーズの世界を自由に解釈し、想像力を広げた十一篇に、冲方自身が書き下ろした二次創作短篇「オーガストの命日」を併録した初の公式アンソロジー。

ハヤカワ文庫